Sobre el

ERROR

About the

Inspired by

bristot
espresso italiano dal 1919

"Tales-on" nace de una idea de Marco Milan y de la inspiración de la firma Bristot, con el fin de crear relaciones estables con escritores y artistas contemporáneos invitados a colaborar en una plataforma cuyo objeto es la producción cultural y la práctica social. Los contenidos y las acciones, generados por medio de un recorrido que nace de los territorios y las reflexiones de los autores mismos, se desarrollan en publicaciones, exhibiciones e instalaciones concebidas a través de una pluralidad de instrumentos y lugares, todos contextualizados en el perímetro de un proyecto sin ánimo de lucro.

"Tales-on" was born from an idea by Marco Milan and the inspiration by the brand Bristot, with the aim of establishing permanent relationships with writers and contemporary artists who are invited to collaborate within a platform whose purpose is the production of culture and social exchange. The contents and the actions generated by a path that was created from the lands and the thoughts of the authors themselves, is expressed in publications, exhibitions and installations conceived through a variety of tools and places, all contextualized within the bounds of a non-profit scheme.

www.tales-on.com

Tales-on   LA FABRICA | 20 AÑOS

Curated by Marco Milan

Óscar Collazos   Mateo López
Guillermo Linero Montes Bernardo Ortiz
Efraim Medina Reyes   Nicolás Paris Vélez
Robert H. Marlowe   Daniel Salamanca
Juan Manuel Roca   Daniel Santiago Salguero

© LA FÁBRICA, 2014

© ASSOCIAZIONE TALES-ON
Via Tiziano Vecellio 73
32100 Belluno - Italy

www.tales-on.com

ISBN: 978-84-15691-89-1
Depósito Legal: M-29192-2014

Comisario
Marco Milan

Dirección de arte
Marco Milan - FewGuys.org

Coordinación
Nora Zanella - FewGuys.org

Traducción
Donatella Fontana
John C. Mylius
Piccolo Moresco S.L.
Lettera

Partners

Todos los derechos reservados. Cualquier forma de reproducción, distribución, comunicación pública o transformación de esta obra sólo puede ser realizada con la autorización de sus titulares, salvo excepción prevista por la ley. Diríjase a CEDRO (Centro Español de Derechos Reprográficos, www.cedro.org) si necesita fotocopiar o escanear algún fragmento de esta obra.

ÍNDICE

COORDENADAS — 7

INTRODUCCIÓN

Marco Milan
Sobre el error — 9

HISTORIAS

Óscar Collazos
El error y el azar — 15

Guillermo Linero Montes
Una historia de error — 20

Efraim Medina Reyes
El corazón de las piedras — 28

Robert H. Marlowe
Visiones a contraluz — 41

Juan Manuel Roca
Fe de erratas — 46

OBRAS VISUALES

Mateo López
Cosas por hacer — 52

Bernardo Ortiz
Hotel "El Salto" — 58

Nicolás Paris Vélez
Memorabilia of errors — 65

Daniel Salamanca
Leo Fines. Personaje absurdo — 71

Daniel Santiago Salguero
La miel y las hormigas — 76

TEXTOS EN INGLÉS — 80

COORDENADAS

El programa Tales-on tiene sus inicios en Colombia, con la invitación a cinco artistas y a cinco escritores a reflexionar sobre el error. El encanto implícito iba encaminado a superar el estereotipo negativo a través de testimonios y percepciones distintos de los que se esperan y concuerdan en términos culturales. El resultado es un libro de autor, íntimo y público, difundido con libertad entre instituciones y organizaciones vinculadas con el arte contemporáneo, cuyo contenido, una vez deconstruido, es el tema que sirve de base para una serie de exposiciones internacionales, así como de este catálogo, en el que también existe un espacio dedicado a la perspectiva de los propios autores.

¿Por qué en Colombia? Se parte de la idea de empezar en América Latina por su capacidad para ofrecer vías alternativas y visiones poco ortodoxas en lo que a temas sociales, económicos y culturales se refiere. Una búsqueda natural de diferencias que, con unos resultados más o menos acertados, consiguió generar interpretaciones que pueden abrir nuevos horizontes para la reflexión, libre de las características pautadas por la norma dominante. Se escogió Colombia, en concreto, para desarrollar el prólogo del proyecto porque consideramos que dentro del mismo se pueden hallar contradicciones e inteligencias que fertilizan la tierra de la que nace el malentendido de "error", ya se vea como "escollo", según las teorías de Karl Popper, o como la idea más extendida, prosaica y fideísta de "todo sucede por algo". A esto se añade un contexto artístico estructurado que evoluciona con rapidez y en el que una nueva generación de creadores, que ya poseen una experiencia internacional significativa y una mirada liberada de los presuntos padres de una nación en un desafío eterno con su contextualización y clasificación, unen fuerzas y se imponen a autores históricos.

Los artistas invitados (Mateo López, Bernardo Ortiz, Nicolás París Vélez, Daniel Salamanca y Daniel Santiago Salguero) se aventuran en un espacio bidimensional representado por una hoja de 56 x 80 centímetros en la que expresan su punto de vista sobre el error, a través de las sugerencias y los códigos creativos que de él se derivan. A su vez, se pidió a los escritores Óscar Collazos, Guillermo Montes Linero, Efraim Medina Reyes, Robert H. Marlowe y Juan Manuel Roca que escribieran textos cortos sobre el mismo tema, en un afán de combinar el hecho de relatar con la percepción visual en un conjunto autorial muy variado.

Las obras recopiladas crean un caleidoscopio conceptual que no pretende ser una enciclopedia didáctica, sino más bien una chispa inicial para la reflexión ampliada en torno al error, la primera materia de una serie de temas y términos en la que se aborda el pensamiento humano y los lenguajes y los lugares relacionados con él. Tales-on emprende un viaje que, si bien por un lado está muy imbricado en la práctica social, por otro evoca y esboza inspiración a partir de la imagen y el recuerdo de aquellos cafés de la *Rive Gauche* en que las tertulias y las producciones entre artistas, filósofos y escritores impulsaron de forma activa el progreso intelectual y social de aquella época.

SOBRE EL ERROR

Marco Milan

Mi infancia fue normal. Adecuada para el lugar donde nací y me crié, adaptada a las inclinaciones que creía tener y el conocimiento que he desarrollado a lo largo de los años y que se ha visto apuntalado, en muchos casos, por el apoyo paterno-materno. Todavía me pregunto cómo podemos heredar conocimientos. Parecería absurdo hablar de herencia para este tipo de cosas y, aun así, si se piensa, es exactamente lo que sucede en una alternancia lo suficientemente habitual como para darla por sentada. En mi mapa introductorio que habla del error, si bien también de experiencias y reflexiones fragmentarias en torno a él, quiero continuar colando de vez en cuando imágenes fragmentadas que me ayuden en un pensamiento impreciso, articuladas, cual pilares de unos cimientos, al subrayar algunos términos cruciales. El primero, que se menciona anteriormente, es alternancia. En las relaciones, uno empieza desde el contexto familiar y luego todo se amplía y se conecta; se unen círculos, mientras que otros, desgraciadamente, se rompen y se pierden. En este fluir y este desbordamiento constante de elecciones, cada pequeño paso imperceptible influye en el siguiente y así uno se encuentra decidiendo sobre el colegio, las vacaciones, el primer trabajo, la pareja para un periodo o varios, exponiéndose, con los instrumentos en la mano, al trazado de líneas y a la definición de los contornos preparados *ad hoc* para nosotros. ¿Trivial?, ¿limitante?, ¿parcial? Seguramente.

En este contexto, hablar de error podría evidenciar la mediocridad afectada de un tema que se da por sentado, que escudriña las diversas opciones empleadas en el único terreno vital que conocemos, el nuestro, dentro de un mecanismo entrópico y pesimista. Si hubiera empezado más tarde, habría evitado este infortunio; si no hubiera aceptado esta invitación, no habría perdido esas grandes sumas de dinero; y así, en una lista de condiciones y acontecimientos positivos o negativos, creada por la lógica de la confusión habitual que surge puntualmente en cada acontecimiento que domina nuestras vidas. Entonces, ¿qué tipo de mente puede dirigir tal pensamiento? Una respuesta puede estar vinculada a un intento de recuperar y enfatizar las dimensiones que pertenecen a nuestras profundidades escondidas y de las que uno sólo es parcialmente consciente a través de pruebas y predicciones, que se viven, de todas maneras, con un sentimiento alienante de desasosiego o, aun mejor, que se estigmatizan bajo el paraguas más amplio de la excentricidad. Aquí hallo el segundo término que guía este escrito y que me hace obcecarme con sus implicaciones: la profundidad, en el sentido de esa mirada utópica dentro de nosotros mismos sin colocar límites ni objetivos, con la mera curiosidad de superar conceptos continuos, puros parámetros. No obstante, éste no es un proceso fluido, más bien lo contrario: para calmar estos viajes improvisados, nos cruzamos constantemente, obstruyendo el camino, con las palabras firmes de normalización, conservación, educación y muchas otras como éstas, que siempre y cada una de las veces marcan con exactitud las fronteras de lo posible, o de lo que nos es deseable y a todo lo ajeno a nosotros. Y así nos formamos una opinión de las cosas grandes y las pequeñas, una opinión, un *modus operandi* que nos acompaña sin continuidad y resolución y nos moldea, sin salvarnos de las contradicciones y los arrepentimientos. Sin embargo, esta letanía sobre la lucha entre el determinismo y la pasividad no es convincente hasta el final, parece más un intento superficial de reivindicar teorías y justificaciones oportunas aderezadas con un toque de nihilismo y cuya esencia reside inevitablemente en otra parte. Si el error fuera solo cuestión de decisiones claras que se toman o se dejan de tomar, estaríamos cerca de otra taxonomía superficial de la existencia, para la que todo tendría su propia evaluación y cuantificación.

Pero retrocedamos un paso y volvamos mentalmente a la primera caída que nos ha marcado, recordemos el preludio de nuestros mayores fallos, volvamos a pensar en la sutil traición de las expectativas que hemos generado. Situaciones habituales, conocidas y metabolizadas en la vida cotidiana. No pretendo alterar las teorías de grandes pensadores ni verificar de una manera alterada tan importantes cimientos filosóficos en el intento que se espera para especular desde lo académico en la materia.

Eso sería un fallo en sí mismo. Es la rutina diaria el único contexto que poseemos y, como tal, la dialéctica de conocimientos que reside dentro, basada en la relación entre lo que reside dentro y fuera, entre lo específico y lo general, entre tú y yo, que genera así la consciencia individual de error, una clara consecuencia de nuestro ser incompleto. Irresuelto; éste es el tercer término que articula mi reflexión, que lleva a la urgencia de nuevos asuntos, superando de forma abrupta los anteriores, y que continúa para socavar el concepto de sentido común e identidad. ¿Y si, a su vez, la misma vida fuera un error? ¿Cuántas veces esta pregunta, llevada al absurdo, ha guiado mis disertaciones como adolescente con la cabeza en un frágil equilibrio entre deseos, fuerza corporal y estados de ánimo volubles?

Nada elitista ni elevado en términos intelectuales, sino simplemente las tierras yermas del crecimiento inorgánico, como son la mayoría de aquellos que no tienen un plan ya claro y pulido hasta el mínimo detalle. Pero ¿quién puede afirmar estar preparado de forma prematura y objetiva para afrontar la existencia? En verdad, seguramente nunca me haya parado a reflexionar en profundidad sobre el tema por un sentimiento de incompetencia mezclado con una de esas formas de autodefensa pasiva propia de circuitos eléctricos que tienen sus mecanismos para protegerse de cambios repentinos en la energía externa pero que, a fin de cuentas, continúan siendo vulnerables a lo que sucede dentro de ellos. El tiempo atmosférico, el desgaste, la sobrecarga y... Detente. Todo cesa.

Así que volvemos a empezar con las cosas pequeñas, los detalles mínimos. El error también puede surgir de la mera necesidad de relacionar elementos, revelándose en la ilusión del tiempo y el espacio que nos dimos, en choque voluptuoso con la necesidad urgente de cuantificar dimensiones y definir proporciones. Relaciones, proporciones: estos son los términos de esta cuarta parada, en la que el cesar del movimiento perpetuo se convierte en un paso significativo para la reflexión sobre la identidad propia y la razón por la que ésta se establece. Después, cuando la energía comienza a fluir, casi nada puede imitar el flujo anterior.

Aparecen nuevos caminos y al echar la vista atrás y observar los anteriores, únicamente resiste la toponimia como necesidad para guiarnos, dominada por el deseo de un futuro que, sin dificultad, se convertirá, a su vez, en un recuerdo, un ciclo interminable que algunos creen que no se rompe ni con la muerte. La deficiencia y la sustracción son el quinto elemento que me lleva a dar la vuelta a lo que se ha hablado. ¿No podría ser la vida la que rompe el ciclo de la muerte? Y ¿cuáles son las implicaciones de cada uno de los elementos de nuestra existencia? ¿Cuáles son los parámetros para distinguir las ideas y las creencias que persisten por su "buena reputación" de las que están destinadas al olvido por deficientes o anacrónicas? Pero no cabe duda que de que todos, cada uno en su propia época, solo tenemos las herramientas y el conocimiento del mundo que nos es contemporáneo y de que no se nos asegura nada, salvo suposiciones aplicables a un presente en el que lo que descubrimos es únicamente lo que nos es accesible. Volviendo a la vida cotidiana, a través de una imagen de una sencillez que desarma, me hace pensar en hasta qué punto es tan natural como sencillo sentir pavor ante ciertos comportamientos o debilidades de un señor mayor; y, al contrario, mirando lo mismo, similar en cada detalle, con emoción y ternura en un hombre joven. Con estas suposiciones, podríamos decir que el mayor fallo es nuestro envejecimiento, cuando de hecho, ¿no nos han enseñado siempre a considerarlo como la mayor de las virtudes? Darle la vuelta al plano en el que todo sucede puede parecer un ejercicio en defensa del relativismo, un juego de contrarios para esconder todo y erradicar cualquier certeza, pero no podemos hablar de los principios del subjetivismo si no tenemos las herramientas para fijarlos, aunque sea de forma parcial, dentro de nuestra existencia contradictoria. Vivimos obsesionados con la identidad en una atmósfera afirmativa que es puramente artificial, ajena al estado más elemental de la naturaleza. Más allá de todos los axiomas y pruebas, intenta imaginar que el ser, como ejercicio extremo, es lo que percibimos como la nada, lo que nos abre a los actos más elevados de indagación de lo desconocido. ¿En qué categoría de error colocaríamos una búsqueda intacta que también puede contener la renuncia a la propia existencia? Quizás el error, en este caso, sería tan solo una pregunta, nada más que una de las muchas preguntas con la que termino esta recopilación de fragmentos, sin terminar desde que se concibió y marcada por los pilares de la alternancia, la profundidad, lo irresuelto, las relaciones, las proporciones, la deficiencia y la sustracción, todo unido en este vago equilibrio de un arquitrabe fácilmente indefinible.

EL ERROR Y EL AZAR

Óscar Collazos

Gran parte de mi vida está montada sobre "errores", decisiones que no habrían aprobado mis amigos y que, sin embargo, tomé sin tener la certeza de que eran las mejores decisiones. De haberlo preguntado, me habrían respondido que era un error tomar ese camino. Estas preguntas hubieran introducido una incómoda sensación de incertidumbre en mi vida. Todo lo que hiciera a partir de esas preguntas estaría viciado por la indecisión.

Después de muchos años de cometer "errores", he llegado a la conclusión de que la noción de error sigue asociada en el otro extremo con la noción de inseguridad. Muchísima gente pretende nadar guardando la ropa o acertar por omisión. ¿Quién decide, por otra parte, lo que es erróneo o acertado? En mis años de bachillerato, cuando empecé a perder la fe religiosa, antes de saber que estaba más cerca del agnosticismo que del ateísmo, mis maestros de Filosofía no ahorraron palabras para advertirme que, tarde o temprano, me encontraría abrumado por las culpas que acarreaba mi falta de fe religiosa. No se explicaban cómo había caído tan fácilmente en el "error". Yo tampoco me lo explicaba porque no entendía aún lo que se entendía por verdad.

El segundo de mis errores, apéndice de la indiferencia religiosa, fue abandonar dos de las carreras universitarias que empecé (primero Sociología, después Filología e Idiomas), con la idea de dedicarme a escribir. Ambas carreras me gustaban, ambas exigían leer muchos libros. Eso era lo que quería hacer, porque es lo que debe hacer todo escritor: leer esa millonésima parte de los libros de la gran biblioteca con los cuales se aprende a ser escritor. ¿Por qué pensaba que no eran compatibles esas carreras y el desarrollo de mi vocación de escritor?

Por momentos, me atormentaba la incertidumbre. Hacerme escritor me iba a llevar mucho tiempo y mucho más tiempo, si lo conseguía, poder vivir de la escritura. Porque de algo tenía que vivir. No tenía fortuna ni una pequeña renta ni una familia que me ayudara a satisfacer las más vulgares necesidades: alimentarme, vestirme, vivir bajo un techo, cultivar algún pequeño vicio.

Si no hubiera cometido el "error" de abandonar la universidad, me decía a veces, podría haber sorteado mejor las embestidas del hambre, la humillación de pedir dinero prestado a los amigos y el nomadismo que me imponía la falta de un lugar medianamente aceptable en la sociedad. Los cálculos pesimistas hacían estragos en mi estado de ánimo a medida que el mundo adoptaba fórmulas de pragmatismo cada vez más implacables.

Alguna vez pensé que gracias al pragmatismo imperante y sus servidumbres, ser escritor se volvía tan misterioso como temible. Era una especie de insubordinación frente a lo establecido. No era algo que pudiera medirse con la tabla de valores al uso.

¿Qué era ser escritor? ¿Cuándo se era verdaderamente escritor? Pensaba que, con un poco de suerte, escribiría un libro que sería publicado, que llegaría a las librerías y a las manos de los críticos para seguir su destino en las manos de los lectores. Y el siguiente. En ningún momento se interpusieron ideas como la fama o la fortuna. A duras penas, la esperanza de que otros, en número indefinido, reconocieran las bondades de lo que escribía. Y éste era uno de los argumentos que se podía oponer al temor de estar cayendo en el error. Nadie equivocado actuaba tan desinteresadamente. ¿Era un error suponer que todo eso podía darse sólo con el concurso de la vocación? ¿Cuáles eran entonces los factores que acababan dándole sentido al acto de escribir y razón de ser social al escritor?

Conocía personas de mediana edad que habían tomado la decisión de ser artistas o escritores y, al cabo de algunos años, conocieron el fracaso. Vivían llenos de furia y resentimiento, envejecían tragándose su propio veneno. Nunca aceptaron la derrota, no tanto por no ser reconocidos, sino por saber que otros ganaban prestigio donde ellos recibían indiferencia o burlas. Sus casos podían servir de ejemplo cuando se tratara de medir la importancia de elegir una profesión y del precio que se pagaba por elegir mal. Vivir es saber elegir. Cuando hablábamos de estos artistas *ratés* decíamos que habían elegido el camino equivocado. Habían estado en el error de suponer que podían ser buenos artistas o escritores, aunque los animara una pasión auténtica por el arte y la literatura.

La sinceridad no era garantía de una buena elección. Uno se equivocaba o acertaba por sinceridad.

El tiempo que transcurre entre el momento incierto de querer ser escritor y aquél en el que los demás, digamos los lectores, te confirman que lo eres, está cruzado por la angustia. Se vive al borde del abismo. ¿Cómo asumir los primeros fracasos? Siempre recuerdo los rechazos a que se vieron sometidos muchos escritores en algún momento de sus vidas y en la sensación de fracaso que pudo haberlos atormentado. Un célebre crítico de origen español rechazó en Buenos Aires *La hojarasca*, la primera novela de García Márquez, pidiéndole que se dedicara a algo distinto a escribir. No sé si André Gide aceptó su culpa por el error de haber rechazado en Gallimard el primer libro de *À la recherche du temps perdu*. Es posible suponer que el rechazo no hizo mella en la vocación de Marcel Proust, consciente de que estaba embarcado en una de las más exigentes aventuras creativas del siglo XX.

La obstinación me llevó a abandonar la universidad y a acomodarme en los primeros años a una especie de ocio creativo. Vivir al margen. Escribir compulsivamente. Una de las ventajas de vivir sin una profesión definida y sin reglas socialmente aceptadas era la libertad que se ganaba en esa suerte de aristocrática marginalidad. Puedo decir que fui libre y lo fui mucho aun antes de que escribiera algo que mereciera la aprobación de mis contemporáneos; fui libre en la distribución del tiempo, en la elección de los amigos, en la manera de administrar mis pequeños y esporádicos ingresos cuando fue posible recibir dinero por mis escritos literarios o periodísticos.

Si error es no adecuarse con la realidad ni reflejar la verdad, como vine a aprender mucho después, había que invertir el significado de mi decisión y aceptar que, en efecto, ser escritor no consistía en adecuarse con la realidad, sino en darle un significado distinto al de las apariencias. No se trataba tampoco de reflejar la verdad porque la verdad no tenía un solo rostro ni una sola alma. Lo que definía el error era lo que, precisamente, buscaba enfrentar y problematizar la creación literaria.

Esta certidumbre, adquirida al abandonar dos carreras universitarias y haber elegido el incierto futuro del escritor, apaciguó el sentimiento de culpa que debí domesticar en mis años de juventud. Muchas otras cosas en el amor, en los viajes, en las amistades estuvieron precedidas o acompañadas por decisiones intuitivas e irreflexivas. Pude entonces dejar de pensar en el "error" y ver que éste no es, a menudo, más que el primer paso que damos para llegar a un lugar incierto que, sin embargo, le dará sentido a nuestra vida.

UNA HISTORIA DE ERROR

Guillermo Linero Montes

En verdad nunca lo había visto así, pero ahora, en ocasión de presentárseme como tema de introversión, encuentro cuánto ha participado el error en mi itinerario de creador. De hecho, siempre me ha acompañado en el quehacer artístico, semejando un insidioso fantasma. Una suerte de entidad vital, imaginada o real; "una presencia", diría un parasicólogo. En términos del oficio artístico, el error consiste, o mejor, se manifiesta, en el aguzamiento de la capacidad de advertencia. Me explico: cuando el error ha aparecido en torno mío, lo ha hecho en la última oportunidad que me quedaba para cambiar de rumbo, o más exactamente, cuando ya no tenía más remedio que torcerle el cuello al cisne. Y aunque ello signifique una consecuencia benévola, una tabla de salvación en el momento más necesitado, también es cierto que todo ocurre, nerviosamente, tal vez porque el auténtico error conlleva una porción dramática. Ahora mismo, mientras pienso en cómo abordarlo para este escrito, me pregunto si no estaré sintiendo lo mismo que experimenta un cazador de cocodrilos cuando con sus brazos abre, y mantiene abierta la tajante mandíbula del reptil, y lo hace sabiendo que, en ese pasmoso instante, no puede cometer el menor error. Empero, no es justa con el cazador esta comparación, pues él, ante la eminencia del error, pone en riesgo su integridad física, mientras que para mí el error es –tanto como el acierto– un mero concepto, y tal vez, muy remotamente, exponga mi integridad mental. Ahora veo cómo algunos pasajes de mi actividad plástica están ligados al error, tal y como si éste fuera parte del proceso creativo; sin embargo, mi experiencia inicial de pintor y dibujante consistió en evitarlo. En efecto, mi primera noción acerca del arte fue que se trataba de un asunto de la belleza. Algo muy lógico para la comprensión de un aprendiz, de modo que, sin miramientos, porque todavía no tenía juicios de valor, acepté la belleza tal una obligación inaplazable, si quería replicar la realidad de manera artística. Y por esa vía, sin duda frívola, entendí que la belleza constituía un pre-requisito esencial para que las expresiones artísticas pudieran ser validadas. (Esa canción y esa pintura son bellas o aquella canción y aquella pintura son feas porque existe una valoración generalizada del arte, adscrita a la belleza, que es también la perfección, y lejana del error, que es también la imperfección). Luego me pregunté qué función tenía el arte, y en respuesta, el sentido común –tal vez en correspondencia con la mencionada noción de arte que me había formado–, me permitió concluir que su función consistía en mostrarnos un mundo distinto a éste de nuestra vida diaria, pero adosado a ella de manera intrínseca. De modo que el arte –apenas me enteraba de ello– se comportaba como una suerte de medio para conducirnos a una realidad virtual. Pero ¿qué experiencia, diferente a la realidad conocida, se viviría allí? ¿Qué era eso tan atrayente e ignoto? Pues nada menos que el mundo de las perfecciones, todo lo opuesto al mundo de los errores: allí estaba, más resplandeciente que el Taj Mahal, el palacio de la belleza. En efecto, y en tal contexto, la clave del arte y el más importante propósito de los creadores parecieron reducirse a una sola cuestión: capturar la belleza. Pese a mi espíritu libertario, me resultó claro que debía creer en eso y aferrarme a ello, pues lo contrario sería un gravísimo error, tan serio e igual que si los músicos, por ejemplo, no creyeran en la escala y armonía de los sonidos; o si los pintores desobedecieran las leyes de la composición plástica; o si los poetas y los narradores ignoraran el poder de la palabra; o si no se creyera en el equilibrio, sabiendo que éste es un estrato básico para la concreción de "las formas bien hechas" y para la plástica del mundo tangible. Saber que de todo ello estaba construida la realidad, tal y como la conocemos, y saber que el arte, tautológicamente, se hacía a su vez con dicha realidad, me devino en una suerte de fórmula para convertirme en un trabajador eficaz del arte: todo lo que me rodeaba era susceptible de tornarse en arte, siempre y cuando lo presentara de una manera bella y me asegurara de su perfección. Una cuestión fácil para el entusiasmo inocente de un neófito: se trataba de ir por ahí, eso creía yo, en el papel de Midas, convirtiendo cada ser, cada objeto o cosa elegida, en una pieza susceptible de ser representada artísticamente. Era el error de la arrogancia juvenil dejándome como un zapato ante mi modestísimo círculo social. Y nada parecía contradecir eso: allí, en mi inmediato entorno, por ejemplo, no encontré fruta, ni silla, ni planta, ni vecina, que estuviera en mejores condiciones estéticas que sus equivalentes pintadas en los libros de arte de mi padre: hasta las frutas dañadas eran una deslumbrante belleza en las páginas impresas. No obstante, en mi temprano y firme propósito de hacerme artista, me atrajo el concepto de belleza en los términos clásicos, que son los de la teoría general del arte (armonía y equilibrio) y me atrajo sobremanera que las distintas culturas reconocieran, universal e independientemente, el concepto de belleza como definitorio de las artes, descontando lo imperfecto y lo inarmónico: descontando al error. De modo que ya no me quedaban dudas –por las abrumadoras evidencias–, de que indefectiblemente era así: los argumentos del dominio del concepto de la belleza saltaban a la vista en las obras de los grandes autores. Pienso ahora, entre tantas y tantos, en el *David* de Miguel Ángel, considerada, entre todas las esculturas la única carente de error estético; pienso en *La Venus del Espejo* de Diego Velázquez, de elegante seducción y belleza, y bueno, entre tantas otras más, pienso en *La Gioconda* de Leonardo Da Vinci, cuya sonrisa es un símbolo de la sensualidad. En verdad, en ese contexto no parecía haber otra salida para expresarse con los recursos del arte: cada uva pintada debía ser la mejor uva del mundo, cada rostro el más diciente, cada palabra la más deleitosa, cada color el único, y, lo que constituía un infranqueable obstáculo, el mundo crítico se había puesto de acuerdo con ello. En lógica respuesta, deduje que lo bello para los demás debía serlo indefectiblemente también para mí, pues de lo contrario algo andaría mal en mi capacidad interpretativa de la realidad, o tal vez, en mi aptitud socializadora, y si todo lo que yo hiciera –en calidad de pieza artística– no fuera validado como bello por los otros, entonces, también algo andaría mal en mis procedimientos creativos. Hoy recuerdo que hice de inmediato un examen a mis tímidas "creaciones artísticas", acumuladas en la brevedad de la adolescencia, y recuerdo haber encontrado un escenario impío: cada fruta o flor que hasta entonces yo había pintado, cada palabra escrita por mi puño y letra, carecía, con irrefutable verdad, de todo cuanto implicaba la belleza. Yo estaba encarnando, sin saberlo siquiera, a un fabricante de seres y de cosas monstruosas. Tuve conciencia entonces de haber estado conviviendo, hasta ese bendito momento, con un gravísimo error: creer que la expresión artística consistía en el ejercicio de la plena libertad unipersonal, y no era así: para capturar a esa apetecida belleza, que definía lo artístico, había que seguir inexorables principios y para ello debía ingresar a una academia, o formarme, de manera autodidacta, por medio de una férrea disciplina escolástica, es decir, poniéndome en la tarea de reconocer lo establecido con anterioridad, y así lo hice, escapándome –eso creí– del bendito error de crear a la topa tolondra como cualquier Picasso. Desde aquella ocasión, de un momento a otro ya no supe dibujar igual que antes, y mis mesas pintadas, de cinco y hasta de siete patas, en adelante tendrían que conformarse con cuatro, y éstas debían orientarse hacia el piso, lo que implicaba un complejo reto nunca antes logrado por mi habilidad de dibujante. Comprendí, en seguida, de dónde provenían los conceptos de la composición artística, las camisas de fuerza, en fin, las reglas que te advierten que no puedes cometer errores, que no eres libre y que la libertad está reservada, única y celosamente, para el arte; porque, igual como lo dijera Pavese, refiriéndose al modo en que se hace un relato, también en arte "todo se debe a la mecánica inextricable de sus propias leyes". El artista, por su parte, sólo debe seguirlas. Así que, sin pensarlo dos veces, ingresé presto al Instituto de Bellas Artes de Santa Marta, a estudiar piano y pintura, y, en efecto, aprendí a poner los pies sobre la tierra (y también, sobre el piano), y más exactamente, aprendí a orientar las patas de la mesa hacia el piso, aprendí a dibujar. ¿Y el error?, esa vez pensé que ya lo había focalizado y dominado, y por ello en adelante no hice otra cosa que procurar desgastarlo puliendo con ahínco mis dibujos y agraciando los personajes de mis historias. Al principio, fue muy cómodo eso de moverse en un esquema determinado por los conceptos renacentistas de equilibrio, proporción y armonía, y en una tradición soportada en la perspectiva lineal clásica, en la llamada "caja renacentista" (la de Rafael Sanzio y Leonardo Da Vinci), que es la gran teoría del arte como imitación de la realidad, y en la cual los elementos de la belleza concretan su presentación formal. De ahí que la belleza esté siempre atornillada a la distribución clásica del espacio pictórico y a las nociones básicas de la composición, esencialmente la simetría y el equilibrio, que son opuestos naturales del concepto de error. Inmerso en los presupuestos de esa teoría –que trata de la perspectiva clásica–, estuve abstraído hasta cuando reparé que literalmente me encontraba encerrado en una celda, en un espacio donde se me negaba la mayor parte de las opciones creativas; pero, sobre todo, se me cohibía la más fundamental: la libertad de expresión artística. Sin duda, un buen ejemplo de esa caja es, por su estructura compositiva y desde luego por ser universalmente reconocida, *La Última Cena*, de Leonardo Da Vinci, en la cual aparecen Jesús y los doce apóstoles acomodados con juicio arquitectónico en la estancia rectangular del cuadro. Bajo el concepto de esa caja visual, los recursos y elementos de la creación plástica no trascendían el ámbito del sentido de la vista: la perspectiva, el volumen, la luz y la sombra, la línea de horizonte y la imitación de la realidad eran los valores plásticos que en función de la belleza me interesaban, y como ven, todos pertenecen al dominio de la visión. El mundo plástico debía ser estrictamente idéntico a lo percibido por nuestros ojos, y los demás sentidos no pasaban de ser ángeles caídos. Pero tampoco cabían en ese espacio renacentista ni los sueños que carecen físicamente de todos los sentidos –por ejemplo las mesas de cinco patas– ni las imaginaciones dadas a otros niveles de sensibilidad, como la galería de bobos y bufones de Diego Velázquez, que exaltaba –en un grave error para el entendimiento de su época– prototipos de antibelleza; o los *Caprichos* de Francisco de Goya, que subvertían la realidad espacial conocida para escenificar ideas sobrenaturales, lo que sin duda constituía un error moral, penalizado incluso con la hoguera. De modo que ahí estaba de nuevo, y de cuerpo presente, el error. Vi entonces lo que antes la belleza no me había permitido observar: al interior de ese estrado estético existían signos contrarios a los artísticamente reconocidos como bellos, y vi también que al interior de algunos cuadros –de los mismos grandes pintores representativos del lenguaje de la belleza– se ocultaban errores, realidades contrarias, entre las cuales recuerdo y preciso éstas o estos: el lienzo *Las Meninas* de Velázquez, por ejemplo, si bien cumple con todos los requisitos y leyes de la composición armoniosa, el maestro no pudo ocultar en él la fealdad de sus modelos; otra prueba de ello son las bailarinas de Edgar Degas, prestigiosas por delicadas y hermosas, aunque en verdad tienen los rostros desechos, y así ocurre también con los aldeanos de los lienzos de Van Gogh, tan representativos del ennoblecimiento de la expresión humana, y sin embargo sus rostros lucen adustos e irregulares como papas saladas. Así que, de nuevo, igual a quien muerde el polvo, tuve que advertir el error, pues en este nuevo orden percibido la belleza era la realidad con sus múltiples estéticas, y ya no había que ir a buscarla, pues ahora ella era el punto de partida, y esta vez se trataba de huirle. No en vano el poeta simbolista Arthur Rimbaud escribió este verso, que en su tiempo se interpretó como un gravísimo error y en seguida, poco tiempo después, sería ese mismo verso uno de los que abriera las puertas a los aciertos estéticos de la modernidad: "Un día senté la belleza en mis piernas y la encontré horrible". La belleza, para su propia histeria, se había convertido en la cruda realidad, en lo común, en lo corriente, en lo clisé, y ello implicaba también su insólita conversión en error. No obstante, el error había cambiado su polo magnético, y esto significaba un regreso a la creencia olvidada de que la expresión artística debía ser resultado del ejercicio de la libertad unipersonal. De hecho, el autor de *Los girasoles*, tan fiel al estilo clásico y al estudio de los pintores anteriores a su tiempo (Millet y Cézanne) y a los presupuestos académicos del arte de sus contemporáneos (Gauguin y Monet), y habiendo sido él mismo profesor de dibujo, le hacía trampa a la noción de belleza, o al concepto de "la obra bien hecha", desordenando el interior de la "caja renacentista" con nuevos elementos formales, distintos a los que exigía la composición plástica tradicional y sus leyes de rigor. Vale mencionar, por ejemplo, el movimiento sinuoso de sus formas –según la crítica decimonónica más del alma que de la física–, con el cual imprimía a sus seres y objetos –alineados en los presupuestos de la convencionalidad– cierta convulsión o incidencia subjetiva. De ahí tal vez proviniera su genialidad, al no temer precisamente al error, que entonces suponía atentar contra los cánones de la belleza artística. Los creadores de su tiempo, impresionistas en su mayoría, compañeros de arte y de taller, no le hubieran aceptado que pintara sus particularísimas cóleras plásticas sin el fundamento de la obediencia a una comprensión compositiva y tampoco que las hubiera realizado por fuera de la tradición cuyo compromiso era el hallazgo de la perfección. A partir de este arrojo formal de Van Gogh, la deformación evolucionó en una propuesta plástica y se generalizó como opción creativa e incluso como lenguaje contestatario, fundado en las causas sociales y en los vicios de la sociedad. Después de ello, con la prontitud de una urgencia, y huyéndole de nuevo al error, me entregué, esta vez de manera consciente, a la conformación de mi galería personal de monstruos pintados: hice mis primeros dibujos expresionistas, distorsionados por la pura convicción de que así se procedía en la creación artística de mi generación. Hice, de la misma manera, unas pequeñas esculturas en barro cocido, todas con rostros y extremidades chocantes. No mucho tiempo después, realicé una serie de dibujos en tinta china, retratos de mujeres corrientes, que al apreciarlos un amigo escritor, de rotunda frivolidad, pero de mucho éxito, no se contuvo para decirme con tono amenazante y premonitorio: "si quieres triunfar como pintor, no pintes gente fea, pinta gente bonita", y de nuevo me sacudió la conciencia autocrítica, y sentí el ramalazo del fantasma del error: sin duda había tropezado de nuevo con su recurrente e insidiosa visita. Aunque esta vez pareció decirme que rehuyera a quienes descreyeran de la perfección, de modo que, con todo ese va y viene entre la perfección y el error, habrían de desaparecer pronto ambas, no sólo por mi desatención, pues me distraje una larga temporada haciendo maquetas y pequeñas piezas modeladas, sino también por el surgimiento del conceptualismo y de la idea como arte, que desplazaron los materiales –el lienzo, los pinceles y los colores mismos– para adosar cómodamente los suyos: las palabras y el discurso, que para muchos dejaron como resultado el más grande error del siglo XX: la muerte de la pintura y de la escultura, que en ese va y viene inacabable hoy están resucitando y no sé, por mi parte, cuál de los dos errores escoger, si los pinceles o las palabras.

EL CORAZÓN DE LAS PIEDRAS

Efraim Medina Reyes

I

Shih Huang Ti era violento y perfeccionista, tanto que concebía el pasado como un defecto y para corregirlo ordenó la quema de todos los libros que existían en su imperio. Su intención era borrar hasta el último rasgo de la historia para que el futuro empezara con él y en cierto modo logró su objetivo porque todos se refieren a Shih Huang Ti como el primer emperador de la China, también se le recuerda como el autor intelectual de la Gran Muralla. Otro de los defectos que Shih Huang Ti quiso corregir fue su fragilidad humana y para esto bebió un menjurje que debía garantizarle la inmortalidad, pero al parecer confundió algún ingrediente y murió envenenado.

Como Shih Huang Ti cada ser humano aspira a corregir algo, algo en él o en el mundo o en ambos, como Shih Huang Ti cada ser humano observa el mundo a través de sí mismo y así lo exalta, lo define y culpa. Y como el malnacido de Shih Huang Ti cada ser humano tiene un montón de buenas intenciones con las que pretende mejorar algo. Sí, usted, malnacido que está leyendo esta línea, no es más que un artificio repleto de manchas que quisiera borrar. Usted es un compulsivo comprador de cremas dentales, jabones, desodorantes, colonias, máquinas de afeitar, humectantes, detergentes... O es un engendro alternativo que usa hierbas naturales como Shih Huang Ti. Usted mira a los demás con suspicacia y se pregunta cómo es posible que vivan así, que respiren así, que mastiquen así. Usted tiene una mascota o las odia. Y finalmente usted ama o lo ha hecho en algún momento de su vida y como cada ser humano ha intentado encontrar la persona justa. Y también quisiera un dentífrico justo y una casa con vista al mar.

Shih Huang Ti tenía un tigre siberiano, una enorme y serena bestia que lo acompañaba día y noche, que lo seguía como un perro, que vigilaba su sueño. Era más que una mascota, más que un amigo o un amante, era su sombra, su sexto sentido. Obviamente Shih Huang Ti no engullía nada que antes no hubiera probado su tigre, por esto bebió confiado el menjurje de la inmortalidad. No había notado ningún efecto negativo en el tigre, por el contrario sus ojos echaban chispas, su pelo era más brillante, sus pasos eran más firmes y su silueta más soberbia que nunca. Lo que Shih Huang Ti ignoraba es que en el menjurje había una hierba que excitaba a los tigres y mataba a los hombres. De Shih Huang Ti queda sólo su leyenda, el tigre no ha muerto ni puede morir. Cada noche recorre la ardua muralla bajo la luna (otra versión afirma que fue capturado por traficantes de animales y vendido primero a un circo mexicano y luego, años más tarde, robado al circo por orden de Pablo Escobar Gaviria, el mítico narcotraficante colombiano que para satisfacer los caprichos de su hija menor había construido uno de los más grandes zoológicos del mundo).

II

La mayoría de las personas aspiran a realizarse social y emocionalmente a través de un oficio y de una relación sexual y/o sentimental. A los dos años un niño tiene un lenguaje y una concepción del mundo envidiables, sobre todo por la deliciosa anarquía que impregna sus actos y su actitud indómita ante los esquemas de tiempo y espacio. Puede recordar perfectamente los eventos esenciales de su vida y saborearlos antes de sumirse en el sueño diario. ¿Qué sucede después? Los padres y allegados al niño celebran su rebeldía, les parece divertido que se enfrente a la autoridad reinante, pero tienen la firme intención de limitar lentamente su radio de acción. Para ellos lo justo es que el niño aprenda a obedecer y mientras lo observan jugar deciden que es hora de llevarlo al jardín infantil. Uno no llega al mundo, uno escapa del vientre materno y queda encerrado en el mundo. El artefacto llamado familia del que ese niño hace parte es arbitrario y conforma un aspecto fundamental de "las sociedades de control" al servicio del Mecanismo. A los siete años no tenemos ya ningún recuerdo activo de lo que éramos cinco años atrás. La criatura conceptual ha sido reducida a un ente funcional al que se le ha inoculado el sueño de un oficio y la fantasía de un amor. ¿Qué es un oficio? Las personas viven la angustia de haberlo elegido y sienten la presión de "llegar a algo". En la adolescencia realicé catorce combates de boxeo sin conocer la victoria y tenía el firme propósito de seguir adelante. Me divertía intercambiar golpes y cada derrota me reforzaba emocionalmente, pero los expertos dijeron que no tenía talento para el boxeo y me cerraron las puertas del gimnasio. Nunca entendí por qué mi capacidad para asimilar las derrotas no fue valorada. Perder un combate no te impide recibir la paga prevista o ir a bailar con tu chica en el mismo sitio donde tu rival celebrará su triunfo. Perder es un arte y sigo creyendo que allí reside mi mayor talento. La opción que encontré lejos del boxeo fue estudiar medicina y aunque no era el mejor de la clase tenía todas las posibilidades de convertirme en médico. ¿Qué sucedió entonces? Mi familia se esforzó, pero al final los problemas económicos me obligaron a dejar la universidad. Ellos se sintieron frustrados y culpables, a mí me daba igual. Podía ser un púgil incapaz de ganar, un anónimo médico o cualquier otra cosa. No sentía que eso iba a darme un margen de acción, mi mente se recreaba a sí misma a partir de otras cosas, sobre todo de algunos recuerdos específicos y uno de éstos era la imagen de un tigre siberiano que había visto en un circo el día que cumplí cinco años (el tigre no hacía parte de un espectáculo, simplemente estaba en un recinto cerrado. En las paredes del recinto había fotografías de árboles, matorrales y un lago de aguas cristalinas. Una ventana de vidrio de dos metros cuadrados permitía a los visitantes admirar la magnífica bestia). Mi padre me había subido en sus hombros y desde arriba vi cómo su mirada y la del tigre se cruzaban y luego el tigre me observó a mí. Las manos de mi padre aferraron mis tobillos e intuí que le había hecho una promesa al tigre y sus ojos estaban llenos de lágrimas. Sentí felicidad y dolor. Aquella visión fantástica del tigre, su rostro separado del nuestro por un cristal de ocho milímetros, y la certeza de que se estaba diluyendo, que era uno de los últimos tigres sobre la tierra. La altanera perfección de cada rasgo, los colores y el destello de sus ojos, sus movimientos en aquel remedo de selva, aquella prisión que encerraba sus ansias. Ese tigre que arde para siempre en mi memoria junto a mi padre es mi punto de quiebre con la realidad. Lo he imaginado en la oscura y fría noche de aquella celda, yendo de un lado a otro, esperando que mi padre cumpliera su promesa de liberarlo.

III

Entre las personas la convivencia destila tensión, las personas no han elegido estar allí. Deseaban una colección de instantes y en vez de eso deben plegarse y aceptar la inmanencia del hastío que aplasta las ilusiones. La tensión se convierte en el arma secreta para no desaparecer en el dominio del otro. Segregan la realidad genérica como un conflicto alterno. Se sienten comprometidos a lo que intuyen que el otro espera, detestan la responsabilidad de mantener el volumen de la relación. Ejercen un oficio para mantener las cifras y en la cotidianidad se esfuerzan por complacer a sus parejas, sus hijos y demás piezas del esquema. La tensión tiende a ser insoportable y las vías de fuga han desaparecido. Es obvio que las personas imaginan o sueñan con otros oficios y otras parejas que reemplacen lo que consideran algo terrible. Sienten la culpa de no dar y/o recibir felicidad y como solución imaginan el mismo esquema aparentemente fallido. Es lo que llamo "ruptura funcional del objetivo". No tengo esos dilemas, tengo al tigre. Mi oficio no sería un oficio. Mi amor no sería un amor. En ambos casos se relacionan con la dinámica que ejercen y no están definidos en el contexto de una realidad continua. Piensen en ese tigre, mi padre entra en la celda y le dispara un somnífero. Con la ayuda de un comando libera-tigres lo transporta al mundo indómito y lo abandona. El tigre se despierta sin saber que puede moverse a su antojo y lo que hace es reproducir la mecánica caminata de los últimos años. Después de estar horas marcando los límites del territorio en el que aún se cree confinado empieza a notar la ausencia de público y se entristece. El hambre lo lleva a buscar el bulto de sangre cruda envuelto en piel de cordero que los empleados del circo le dejaban cada día oculto entre hierba artificial para evitar que perdiera del todo su instinto salvaje. Tampoco encuentra las imágenes de árboles, matorrales y lago que considera su casa. Sus pasos se hacen cada vez más lentos, la desesperación y la angustia lo embargan. Ir más allá de esa línea que ha marcado toda la mañana es imposible, años de frustración arañando el cristal y los muros de metal han apagado su rebeldía llevando su alma al nivel de resignación e indignidad de cualquier animal doméstico. Mi padre y su comando libera-tigres observan ocultos por el follaje sus movimientos y no entienden que permanezca en aquel espacio limitado a pesar del hambre y la sed. Cuando el tigre se queda inmóvil deciden intervenir. El tigre está tan debilitado física y emocionalmente que ni siquiera deben usar el somnífero. Mi padre discute con los miembros del comando. Está de acuerdo con ellos en que quizá el tigre rechaza el libre albedrío de la selva porque la vida del circo lo ha alienado al punto de considerarlo su medio natural, pero se opone a llevarlo de regreso. Según mi padre, es más digno que lo mate su incapacidad de ser libre a dejarlo envejecer en la humillante seguridad de una celda. Al final se impone el criterio del comando y unas horas después el tigre está de nuevo en el circo.

IV

Poco antes de su muerte, Shih Huang Ti se había enamorado de una concubina que cumplía a cabalidad todos sus requerimientos, pero no lo amaba. Shih Huang Ti era joven, bello e inteligente (aparte de ser el hombre más poderoso de su tiempo, casi una deidad). Todas las mujeres de su imperio lo deseaban y adoraban, pero Na Li (la concubina en cuestión) sentía por él una extravagante conmiseración y un afecto blando y distante. Shih Huang Ti sospechaba que aquella situación era un castigo de los dioses a su desmesurado ego y para congraciarse con ellos decidió experimentar la humildad con Na Li, lo hizo de una forma desmesurada y ella en vez de caer en sus redes le pateó el trasero y con "le pateó el trasero" quiero decir que ordenó a Shin Huang Ti ponerse en cuatro patas y lo pateó una y otra vez hasta que las fuerzas la abandonaron. Acto seguido llamó a uno de los hombres de confianza de Shih Huang Ti y le ordenó al emperador que ordenara a su fiel soldado desnudarse y violentarla en el modo más vil posible. Shih Huang Ti obedeció a Na Li y el fiel soldado obedeció a su emperador. Con los ojos inyectados de sangre Shih Huang Ti observó a Na Li disfrutar como jamás lo hizo con él y supo que no era la primera vez que estaban juntos. Cuando el soldado y la concubina alcanzaron el orgasmo en perfecta armonía, el emperador le hizo una señal a su tigre y éste destrozó y devoró a los amantes.

V

¿Tuvo alguna posibilidad el tigre? (el tigre de mi padre, que en el laberinto del tiempo es la misma bestia de Shih Huang Ti). No pienso que la dimensión o forma de una celda cambie su estructura básica. La idea romántica de libertad, y digo romántica en el sentido más patético del término, recrea la fuga como factor indispensable y la nutre de significaciones. Las personas que abandonan un esquema de vida creyendo escapar de una situación intolerable tienden a restaurar ese esquema. Creen que se trata simplemente de reemplazar los elementos y, como el tigre, no abandonan jamás la celda. La diferencia es que el tigre ha confundido la selva con la celda y en cierto modo ha gozado de una oportunidad. Son tan estúpidas y miserables las personas que tienen la convicción de que la celda sea una selva y por ende no tienen oportunidad alguna. Los tipos y tipas que en una habitación de motel se sienten transgresores y luego, mientras cenan con su pareja estable, sopesan la culpa, la autoconmiseración y la rebeldía de su acto ignoran que esa habitación de motel (vivida como fuga a la selva) es parte integral del esquema. Más adelante algunos toman la decisión de abandonar la pareja. En el entusiasmo de los días iniciales con la nueva pareja la habitación de motel-selva entra en desuso, pero la funcionabilidad del esquema permanece intacta. La idea de fuga es el eslogan favorito del mecanismo, es eso lo que está en venta. Las personas han cambiado la libertad por el entusiasmo de la fuga y nada envilece más que hacer del entusiasmo una religión. Los seres humanos que leen a Coelho y demás basura por el estilo rebajan su dignidad espiritual y anulan su posibilidad de pensar. Lo que envasa un gusano comemierda como Coelho en sus folletos de gurú *light* no es más que mierdita de Mickey Mouse para oficinistas de tercera. Hay más intensidad vital en un saco de mocos que en Coelho. Y es que buena parte del sistema publicitario del Mecanismo se concentra en esa idea de fuga como ruptura del esquema. Las vacaciones como respuesta a la rutina laboral, el sexo con una amante como respuesta al sexo conyugal, el alcohol como respuesta a la sobriedad, las zapatillas Nike como respuesta a las Adidas del compañero de escuela, el deseo del algo nuevo y desconocido como respuesta a lo que se tiene o se cree tener. La inmovilidad reside en la ilusión del movimiento, en el ir hacia algo para dejar algo. Conceptualizar el esquema es el único modo de trascenderlo, "ir hacia adentro". Abandonar el esquema equivale a vivir en la superficie y ser un objeto de lo que se pretende dejar. Es obvio que un hombre que tiene una amante gastará más y no me refiero sólo al aspecto económico, el Mecanismo es más complejo que eso. Oprime en una variación de niveles hasta hacerse imperceptible. Controla las células y el núcleo. La satisfacción es imposible porque la idea de fuga genera siempre el deseo de otra. La trascendencia es la inmovilidad que no se detiene, el consumo mínimo que el Mecanismo rechaza. No es renunciar al deseo, sino integrar el deseo como modelo y eje del pensamiento. El deseo activo y no la ilusión que nos induce a correr como el caballo detrás de la zanahoria que el jinete mantiene a pocos centímetros de su boca.

VI

La infidelidad es la base de toda relación y de la vida misma como concepto, pero en la dinámica del amor se tiende a sobrestimarla y cargarla de feroces y melodramáticos significados. Dos personas juran amarse con locura y apenas surge un conflicto lo que prevalece es que cada uno de ellos está monstruosamente interesado en delimitar y reglamentar lo que el otro hace con su órgano sexual cuando no están juntos. En el conflicto de pelos y vísceras ambos descubren que jamás han tenido un diálogo y sin diálogo es imposible problematizar las fases del esquema y es imposible entender. Lo que en realidad hace el amante es cerrar el cerco en torno al objeto de su amor, para los amantes escapar es un desliz imperdonable, la idea de fuga está ilustrada con imágenes de vísceras que se restriegan y sangran. La idea de fuga es la mierda que alimenta a los mamíferos. Quien sueña la fuga es un objeto de ella. Nadal y Federer son dos amantes que expresan su pasión e intentan destruirse uno al otro en una jaula llamada cancha de tenis. El público los observa a través de un imaginario cristal que es un límite reglamentario. Todo está limitado con líneas reales e imaginarias. Los dos animales, Nadal y Federer, lucen la misma marca. Son propiedad del mismo amo. Aunque en vez de Nike uno de los dos tuviera Adidas, el esquema seguiría intacto porque ambas marcas corresponden al Mecanismo. El rostro espectral del Mecanismo es la suma de todas las marcas, es lo que ven las personas. Pero la esencia del Mecanismo es conceptual y no se relaciona con su función. Es lo que no vemos lo que infiere y controla nuestra idea de libertad. El tigre no es una marca, en apariencia no tiene un adversario y está solo en aquella celda. Los límites entre él y los espectadores son claros y precisos. La gente que ve al tigre ha pagado, les anima la curiosidad y el morbo. Quieren ver a una criatura en vías de extinción, lo que queda de un universo y un ecosistema. El Mecanismo lo ha elevado a símbolo, creando la ilusión y la culpa del tigre encerrado y el espectador libre. Nadal y Federer disputan salvajemente en la cancha y el espectador se siente uno y otro, compra la ilusión de ser uno de los dos guerreros, pero en la cancha son sólo una valla con el logo del Mecanismo. Dos esclavos de lujo sin ninguna posibilidad de elegir que se lanzan hasta la exasperación una pelotita verde. Es eso lo que admiramos: la sombra de un tigre que representa nuestra ferocidad insaciable y los hombrecitos prefabricados que juegan con pelotas. La guerra es una subrealidad que seguimos por televisión, un deporte que el Mecanismo usa con otro tipo de fines.

VII

No pretendo justificar o criticar algo específico y menos aún un elemento particular, la búsqueda de definiciones es irrelevante y estéril. Procuro establecer un diálogo entre mis pensamientos y las formas de expresión y de allí derivar el concepto. Tengo una vida esquemática, pero no la vivo así. Me deslizo por ella y en ella. Mi hija había cumplido dos años y miraba aquel tigre en un parque natural de Verona, le fascinaban los colores atrapados en aquella elegante forma. El tigre era gentil, rozaba el cristal sin detenerse. Elisa, mi hija, no tenía conciencia del límite y la certeza de compartir el mismo espacio con aquel extraño ser la intimidaba y divertía. En mí las sensaciones eran contradictorias, la suntuosidad del animal era conmovedora. Tenía miedo, un miedo anterior a aquel encuentro. Lo miré a los ojos y sentí que ningún hombre era digno de mirarse en los ojos de un tigre. En el esquema ambos éramos depredadores y él, ellos, habían perdido la batalla. Pero al trascender el frágil argumento me sentí vacío y sentí el calor de mis propias lágrimas. No eran las mismas lágrimas de mi padre, a mí la extinción de aquella especie me importaba un pito, lo que me turbaba era de naturaleza conceptual y no política. Que algo se extinga es un hecho estadístico, un informe, una relación de datos y no una experiencia vital, pero las personas sólo sienten ser parte de un Todo y de sí mismas consumiendo información y por desgracia la información, a pesar de su pirotecnia, carece de contenido. Lo que importa en la información es la relación directa con el evento que promueve o denuncia. Saber algo no se relaciona con la existencia de lo que se sabe, lo que sabemos puede ser o no consistente, lo que importa es el modo en que trasciende de lo emocional a lo conceptual. Hay una diferencia entre quien nos informa de que hace frío y quien nos lo comunica. El primero está abrigado y quiere compartir un argumento y el segundo está desnudo y tiembla en la noche oscura. Mi hija veía al tigre y yo un símbolo. Mi hija sentía fascinación y temor, yo amargura y miedo. La sucesión de fragmentos dinámicos en el discurso es el oxígeno que ilumina mis días. La tensión grasosa de la ordinaria experiencia debe ser convertida en el combustible vital. Es ese mi oficio en el caso de que pudiera concebirlo como tal. No me privo de nada de lo que podría ser posible y menos aún de mis amados imposibles. Lo imposible es lo único que sé.

VIII

Entre los documentos póstumos de Shih Huang Ti encontraron estas líneas: Tu estúpida vida es una celda. En el baño todas esas cremas y fragancias, la gama de trucos y aspiraciones inútiles. Tu desteñido amante, las reglas que te impones con doméstica arrogancia. Estás tan vacía que sólo tienes la idea de ti misma y una serie de oficios que consideras inaplazables. No sabes nada de mí, no puedes entenderlo. Me temes, mi voz es un fetiche furioso que te niegas a escuchar. Eres fría y gentil, no sabes qué significa el tiempo, no sabes qué significa el significado de cualquier elemento, concepto, objeto. Tu mente está llena de argumentos, lo aprendido, tus perezosas relaciones, tu equilibrio, tu pareja furtiva. Ese hombrecito, mi esclavo, que se ajusta a tu medida, un ente dominable, sujetable, citable. Vives en la superficie de lo que consideras algo tuyo, vas a cenar, bailar, pasear. Y la dosis de fulgurante sexo que deriva en costumbre, que se apaga, que te sacude y te abandona en el punto de quiebre.

Es un hermoso día en mi imperio, escribo y observo la luz afuera lamiendo la hierba todavía húmeda. El amor no es un impulso ni una actividad, el amor no es un manual de comportamiento y salud, no es un pacto ni un secreto. No es una cita ni la cama de una madriguera que se mancha de baba y secreciones. ¿Sabes qué es? No, cariño. Tu realidad funcional ha exterminado el lenguaje, lo que llamas diálogo es sólo un conjunto de palabras que se repiten hasta perder el sentido. No eres nada, nadie, ninguna. Sólo mis manos podrían hacer pedazos tu vestido y sacarte de la tumba, sólo mis labios podrían estremecer el muro de tus certezas. Lo que define el tiempo es la posibilidad de encontrarnos. Pero estás comprometida con la idea de ofenderme, tienes ya una pomposa lista de sometimientos. No existe en ti la fuerza para cambiar el rumbo de este día, de tu propia vida. Tienes la filosofía de tus propias actitudes, el orgullo de tus precarias decisiones. Lo que imaginas y crees algo muy tuyo será tu epitafio. Sin embargo, estaré por allí. En un lugar más dentro de ti que tu carne y tu alma. Más dentro de ti que el indeciso e impotente amor de quienes juraron amarte, más dentro de ti que quienes te han penetrado con sus penes de juguete y sus dedos enanos.

El sol se alza entre las nubes, las piedras refulgen. Ellas, inmóviles y sin corazón, están más vivas que tú. Las miro y las amo, siento el calor que emanan y me pregunto qué será de ti.

Así que el malnacido de Shih Huang Ti lo sabía todo y planeó la venganza de ella en contra suya por no haber sido capaz de despertar su amor y llevarla al delirio y, por supuesto, su particular venganza contra el soldado traidor. Ella no fue la causa sino el instrumento... como el tigre.

IX

Mi padre decía: Ciego es quien sólo ve por los ojos. Pensaba en eso cuando el timbre empezó a sonar con insistencia. La discusión empezó en el automóvil. En realidad había empezado veinte minutos antes mientras se estaba afeitando y ella, su mujer, insistía en que iban a llegar tarde. Así que él interrumpió la afeitada, aplazó el corte de uñas que había previsto y se puso la primera chaqueta que encontró. Sentado en el asiento trasero del auto, al lado de su pequeña hija, intentaba olvidar la tensión. Sentirse tensionado y culpable era la historia de su vida. No necesitaba un motivo para sentirla, la tensión dormía en sus nervios desde que podía recordar y para encenderse bastaba que alguien tocara levemente el interruptor. En la adolescencia había sufrido por largos períodos de depresión y el psiquiatra le había aconsejado alejarse de los libros de filosofía e ir más al cine. En lo más íntimo sabía que no estaba hecho para formar parte de una pareja. Amaba la vida familiar y adoraba compartir la existencia con su mujer y su hija, sólo que no las concebía como un todo orgánico sino un proceso en evolución constante. No daba nada por hecho, cada detalle era importante y las cosas eran el resultado de lo que estaba sucediendo y no de una decisión inalterable. Le resultaba egoísta que las personas vieran en el matrimonio el final de un tipo de relación y el comienzo de otra, como si el matrimonio por sí solo pudiera cambiar la estructura mental y emocional de los cónyuges. La risa de su hija era una droga capaz de separarlo del mundo y de sus más atormentadas reflexiones. Era un filtro que lo tranquilizaba y le devolvía la lucidez de pensar y considerar las diferentes partículas que se superponían en su estructura mental. Compartir amor, hijos, situaciones, riesgos, penas y alegrías con alguien no era suficiente para pensar en ese alguien como una pieza constitutiva de uno mismo. Ya considerarlo un cómplice le parecía exagerado. No negaba que en ciertos momentos ese alguien, la pareja elegida, lograba estar muy cerca y dar certeza a las dudas, pero era un instante para la colección y nada más. La vida y la felicidad eran responsabilidad de cada cual, la pareja en el mejor o peor sentido era un evento casual. No importaba si se estaba con ella diez minutos o hasta el último suspiro. Era otra persona, un peso o un alivio circunstancial. Amaba y respetaba a su mujer en ella y no fuera de ella. La consideraba una persona expuesta a él y se consideraba a sí mismo un hombre expuesto a ella. No creía en los pactos ni en las promesas, no creía en los énfasis. Su hija era un absoluto sentimental sin referente. Una totalidad donde cualquier consideración resultaba innecesaria.

(El timbre sigue sonando).

VISIONES A CONTRALUZ

Robert H. Marlowe

IDENTIDAD

Soy un híbrido. Se dice así, ¿no? Nací en Bogotá, mi madre tiene una fuerte ascendencia indígena que no le gusta reconocer. Mi padre es de New York, pero no es el típico hombre mundano de la metrópolis, sino un señor silencioso que tenía un abuelo noruego y una madre siciliana. En fin, mi familia es un desastre de mezclas y malentendidos y yo soy un subproducto de todo eso, mi madre ni siquiera quería tener hijos y mucho menos con mi padre, que en el momento de mi concepción estaba casado con su mejor amiga. No quiero exagerar con estas cosas de mi origen, no ha sido tan dramático como parece. Y también me parece justo aclarar que mi madre jamás ha negado su sangre indígena, simplemente ni la acepta ni la niega del todo. Ella tiene un lenguaje ambiguo y mi padre es un hombre de pocas palabras. Lo que sé es incidental, nadie jamás se sentó a contarme cómo es que vine al mundo y a esta altura de mi vida no le doy demasiada importancia al asunto. Sucedió más o menos así: mi padre se había masturbado en el baño y mi madre entró un instante después que él había salido y un puñado de esos espermas peregrinos fue a parar en su vagina y nadie nunca ha puesto en duda esta versión. De hecho Margot, la esposa de Tommy (mi padre), sigue siendo su mejor amiga y ellos continúan felizmente casados y mi relación con todos, incluyendo a mis tres hermanos de padre, es bastante cordial y afectuosa. Supongo que para algunos es una situación incomprensible, pero cuando se vive dentro de una dimensión uno termina acostumbrándose y convirtiéndola en su normalidad.

OFICIO

Mi vocación siempre fue la venta. De niño me fascinaba imitar las rutinas de los vendedores que tocaban a nuestra puerta con la intención de embaucar a mi madre con algún tipo de artefacto que presentaban como el nuevo mejor aliado de las amas de casa. Mi madre era dura de roer, pero algunos de ellos eran fantásticos y nuestra casa se fue poco a poco convirtiendo en un museo de cosas inútiles. Cada vez que algún pariente me preguntaba, con ese tonito socarrón de la idiotez adulta, sobre lo que iba a ser de grande, mi respuesta era invariable: vendedor puerta a puerta. A ellos les hacía gracia, decían que ese era el oficio de quienes habían fracasado en la vida y que nadie en sus cabales aspiraría a algo así. Así que entré a la universidad para cumplir la voluntad de mis padres y, después de unos apurados semestres de arquitectura, tiré por la borda mi prometedor futuro y viajé a USA para realizar cursos de capacitación en ventas. Uno de los instructores, Bob Filan, notó enseguida mi talento y me recomendó con un amigo suyo que tenía una fábrica de electrodomésticos. Un mes después estaba trabajando y llamé a mi padre para compartir la emoción (mi madre había jurado no hablarme hasta que regresara a la universidad). Mi padre no pareció muy alegre, pero me deseó suerte. Durante cinco años dediqué toda mi energía a superar los récords vigentes que tenían de vendedor de la semana, el mes y luego el año. Los dos primeros años ocupé puestos secundarios, pero el tercero fue el año de mi explosión. Prácticamente doblé los registros y mi foto era cada vez más grande en el muro de la grandes leyendas de J.J. Parson Home Center. No paré allí, me retiré al quinto año por falta de rivales que estimularan mi crecimiento y me lancé al indómito y misterioso mundo de los seguros de vida.

IDEOLOGÍA

Todos dicen que me equivoqué, que no supe tomar la decisión adecuada en el momento justo, que no debí defender a Joe Franco, que era un asesino sin escrúpulos y merecía la muerte. No lo pienso así, Joe Franco es el mejor vendedor de productos exclusivos para belleza femenina que jamás existió y el hecho de que haya degollado a su novia no le resta méritos. Tampoco es cierto que se trató de un crimen pasional, Franco era un vendedor… ¿Entienden eso? Un profesional a carta cabal, un ser limpio, vacío, casi inanimado. Su mente era un diseño perfecto de eficacia y control y en ningún caso se habría permitido ira o desenfreno. La mató por un sano impulso de corrección estética, ellos ni siquiera se conocían, toda su relación hasta la noche del crimen había sido virtual, un largo intercambio de diálogos entrecortados por fallas del sistema, fotografías de cuerpos fragmentados y expulsión de líquidos conservando la distancia de seguridad con la fría pantalla. La prensa y la televisión necesitan alimentarse, necesitan rellenar los espacios vacíos entre una publicidad y otra, es razonable, es justo. Quienes controlan los medios son expertos en ventas, gente como Joe Franco y como un servidor. Estaba escrito en las Sagradas Escrituras: "Los vendedores dominaran el mundo" y es lo que hay. ¿Qué cosa creen que es Dios? Cierto, no llega a los niveles de mi estimado Joe, pero su talento para vender es indiscutible. Perdonen la digresión, estaba diciendo que todo ese relleno mediático sobre los 4.653 otros amantes virtuales que la desgraciada Zuma Rodríguez tenía y los supuestos celos de Franco son puras pamplinas. ¡Pinches cabrones! Joe era un vendedor, las cifras lo alimentaban. Mató a Zuma porque ella lo entrampó, él no podía imaginar que tuviera esa larga nariz, ella supo evitar que la viera de perfil en sus vídeo-llamadas y usó algún programa de diseño para corregir aquel esperpento en las fotografías que le mandaba a Joe, la policía misma revisó sus archivos y puede corroborar mis palabras. Joe Franco sabía que aquella nariz iba a proyectarse como una larga mancha sobre su impecable carrera, técnicamente amaba a Zuma y ella le había partido el corazón, lo había ilusionado con una graciosa y pequeña nariz de princesa para entregarle después el arpón de una bruja, destruyendo así sus planes de convertirla en la musa perfecta de su más ambicioso catálogo de ventas. Sí, Joe Franco estaba por abrir su propio negocio y Zuma iba a ser la imagen. ¡Pinche cabrona!

DESTINO

No sé si alguno de ustedes ha captado la sutil ironía de mi relato, si saben a qué me refiero cuando digo "nariz", pero si lo han pasado por alto tampoco tiene importancia. He pasado una década en esta celda por un crimen que no cometí y ahora estoy a punto de recobrar mi libertad y por primera vez en mi vida me siento de verdad perdido. Mi madre ha muerto, mi padre está en un hogar de ancianos y Zuma, mi amada Zuma, yace en el cementerio de pobres. Todos aquí aprendieron a quererme, a todos les vendí todo lo que tuve al alcance de mis manos, llené sus mentes de nuevas ansias y fortalecí sus almas con promesas de cielo. En un modo u otro me las apañé para ejercer mi oficio y sé que van a extrañarme, pero me aterra pensar que allá afuera no hay espacio para alguien como yo, que en el espectro de la dinámica social seguiré siendo un asesino y nadie querrá contratarme y que toda esa retórica sobre "purgar la pena" no tiene un valor real. Lo que me espera es la desolación de la venta furtiva, los oscuros corredores de la reventa y el infeliz destierro de algún supermercado donde me rebajarán a la índole de "impulsador". Mi vida de aquí en adelante será una lenta regresión y mi sueño de vender autos usados se hará inalcanzable. En esos años de cárcel recibí algunas cartas de mi padre y la palabra error se repetía en todas ellas de forma automática. Imagino que no será el único a pensarla de ese modo. Hace poco escribí esto: "Amar es la promesa de que moriremos desesperados". Sí, es un eslogan. Lo tenía pensado para los autos… A Zuma nunca le hablé de amor, lo nuestro fue algo puro, sin frases medidas ni segundas intenciones. Mi padre, el señor Frank Franco, decía que la forma más atroz de miseria es pedir favores a un desconocido. Otro buen eslogan. Imagino que ya saben quién soy y qué hice. ¡Pinches malnacidos!

FE DE ERRATAS

Juan Manuel Roca

> "Un dios nace.
> Otros mueren.
> La verdad ni ha venido
> ni se ha ido:
> sólo el error ha cambiado".
>
> Fernando Pessoa

De errores con causa está lleno el arte, como en el célebre relato en el que un hombre perdido e insolado bajo el pirómano sol del desierto se tropieza con "una virgen hermosa" en un oasis y le dice, según afirman don José de la Colina e Ilán Stavans, estas palabras auto-consoladoras: "Dime que no eres un epejismo", a lo que ella responde: el "espejismo eres tú". Y acto seguido, el hombre desaparece.

El error quizá esté en pedirle la verdad a ese espejismo que es el hombre. Lo mismo ocurre con los artistas que inventan las verdades para vengarse de que, a lo mejor, solamente seamos nada más que una errata de Dios.

A ellos, a los artistas, quizá sea mejor no preguntarles en qué lugar de sus vidas son gobernados por las certezas. "Si me equivoco soy", decía San Agustín, y quién diablos soy yo para refutar a un santo tan alabado como Agustín de Hipona, a quien se le ocurrió este aserto quizá para ayudarme a escribir este texto acerca del error. Y para hacerme caer en una suma de dislates, en un febril disparatorio hondo como un pozo, y gozar de la justificación de un hombre de Dios.

Al comienzo de esta fe de erratas, quise dedicar el texto a Cristóforo Colombo, el genovés que debería ser el santo patrón de los equivocados, quizá el marinero más legendario de la historia, que llegó a América en 1492 creyendo haber llegado a otra parte. Y bien, aparte del error magistral de descubrir una tierra que estaba descubierta por sus propios habitantes, pasó a la historia por algo que él mismo ignoraba. Pues bien, es gracias a ese equívoco histórico que escribo en este idioma. Me expreso por una equivocación en esta lengua en la que también escribo, quizá para poder afirmar que si tenemos que hablar, en cualquier idioma o dialecto, es para señalar que no nos entendemos y que empezamos a conocernos por los dos lados de un catalejo, gracias a su majestad el error.

En verdad, al decir de Amiel, nunca tenemos un mayor descontento con los demás que cuando lo estamos con nosotros mismos. El pensador suizo afirmaba que "la conciencia de un error nos vuelve impacientes". Tan impaciente fue el agudo y áspero Amiel que combatió su conciencia del error escribiendo un *Diario íntimo* de 17.000 páginas, en el que empleó solamente 42 calendarios de su vida. Qué mayor exorcismo contra el *error vacui*, contra la página en blanco que nunca se equivoca antes de que nos dé por agregarle algunas letras.

Me he dado a cazar grandes pensamientos de grandes hombres que hablando sobre el error creían no caer en él, creían superarlo como los saltadores con jabalina. Y, en verdad, es claro que entre lo que quiso decir un poeta, lo que en verdad dijo y lo que creemos que dijo, se nos oculta el misterio, y ya de entrada hay en esto un error de percepciones.

Por ejemplo, cuando Nicolai Gogol escribió su formidable *Almas muertas*, amigos, conocidos y lectores acudieron a su casa a manifestarle que con esa novela había logrado la demolición del zarismo, y el primer preocupado, inclusive molesto, fue él, que se creía zarista. En qué lugar de quiebre, ¿en qué momento una suerte de fantasma lo indujo a un error personal pero a la que en adelante sería una certeza colectiva? A la historia no le interesa que una verdad nazca de un equívoco, diríamos pensando en la bellísima obra del escritor ruso.

El caso de Gogol, cuyo personaje, Chichikov, parece equivocado de lugar de nacimiento en la Rusia zarista, pues parece más bien un mañoso burócrata colombiano, me lleva a tener que aceptar a regañadientes, más allá de sus para mí dudosas teorías, una idea, repito, de ese gran escritor llamado Sigmund Freud: "Todo acto frustrado, toda acción resultante de un error, expresa una voluntad oculta". Y que Gogol nos perdone.

Por algo la palabra reconocer, que en griego quiere decir volver atrás y que no en balde es un palíndromo, una palabra que se puede leer de izquierda a derecha, como lo hacemos en Occidente, y de derecha izquierda como lo hacen los rabinos, los tipógrafos y los espejos, tantas veces está asociada a la palabra error.

"Reconocer" un "error", se dice haciendo maridaje entre las dos palabras, para señalar algo que a pocos les gusta aceptar. Tal vez por eso, los pintores acuden al *pentimento*, a pintar sobre una pintura que consideran equivocada, pero la belleza de la obra superpuesta nace de otra obra que el artista considera errada.

Por supuesto que hay errores provocados de manera consciente, como en el *nonsense* carroliano, pero también inducidos por las ideologías: "razas superiores", "destinos manifiestos", y es en estos últimos en los que la inocencia de errar se vuelve perversa, manipulable y manipulada.

Frente a una historia como la que sigue, puede crearse una pugna entre el elogio de la imaginación y la obtusa racionalidad del realista. Creo haberla visto en un filme, pero para no equivocarme diré que fue en un sueño:

Hay un pabellón de hospital con decenas de camas y de enfermos. Solamente uno de los pacientes tiene acceso a una ventana con vista a la calle. El hombre entreabre sus dos hojas y cuenta lo que ocurre en el afuera del hospital: una mujer joven y pelirroja cruza bajo un paraguas azul, dos niños patean un balón entre los charcos, una monja casi enana como en un filme de Fellini les da comida a las palomas del parque, una pareja de novios se besa a la entrada de un café, un cartero veterano se empina frente a un timbre...

Una noche el enfermo que narra esos sucesos a los compañeros de infortunio muere y, por supuesto, todos quieren heredar su camastro con vista a la calle. Cuando el hombre al que le asignan su lecho entreabre la ventana, descubre que sólo hay un muro de ladrillo que impide a cualquiera ver el paisaje. Creo que no haya nada más parecido al poeta que el personaje de esta historia. Se trata de alguien capaz de fabular, de pastorear un error inducido desde su condición de reo del mundo, condición a la que siempre se niega el hombre insatisfecho.

Ante una historia como ésta, el realista que detesta todo lo que no sea palpable, el que no cree que si la vida comete errores es porque todo equívoco funda nuevas posibilidades creadoras, mirará con desdén lo que no resulta comprobable y entonces llamará al cura y al barbero de don Quijote para que no sigamos confundiendo molinos con gigantes ni rebaños de ovejas con batallones de soldados, como si en esa equivocación visual no mediara el concepto de que los ejércitos del mundo son hatos de seres obtusos y obedientes.

"Ningún medio para prosperar es más rápido que los errores ajenos", decía de manera enigmática Francis Bacon, que por lo demás hizo fortuna litigando como abogado, una profesión especializada en buscar el error en el contrario.

Me gusta más la frase de Albert Camus, de cuño humanista, que dice que "hacer sufrir es la única manera de equivocarse" y que en otro paraje de sus reflexiones afirmaba que la necesidad de tener razón es señal de un espíritu vulgar. Valdría la pena agregar que los cazadores de errores siempre me producen el malestar propio de quien se arriesga a errar con tal de explorar nuevos mundos, nuevas hipótesis de ellos. Cómo me agrada encontrar un error original, ya que la mayoría de los errores son muy viejos bajo el sol y casi siempre están catalogados en el capítulo de las certezas. Por ejemplo: que el hombre es un ser superior, hecho a imagen y semejanza de Dios. No habla bien del Creador el supuesto de que seamos parecidos a él. He ahí un error inducido por la religión y tan viejo y fijo como el sol.

Y sigamos especulando, creándole espejos deformes a la verdad, que es lo propio de toda fe en las erratas. El temor a errar paraliza. El que no yerra está muerto. Porque en verdad no hay aventura sin la posibilidad de equivocarse. El funámbulo, el que camina por la cuerda tensa y pastorea el abismo, es quien no teme equivocarse porque de entrada se ha dedicado, como el filósofo, a un oficio de equívocos. Él va a las grandes verdades por vías de la duda. El error es la flor anómala del jardín, la que crece sin el estímulo de nadie.

Pero, a pesar de todo esto, no hay nada más triste ni patético, y a cada tanto lo vemos en los grandes foros y congresos, que dos errores que se refutan con pasión, que dos dislates que se atacan con brutal vehemencia mientras la verdad, impasible, guarda silencio. Tal vez a eso se refiera el punzante duque de la Rochefoucauld, que escribía con vitriolo y sin temor a errar: "No durarían mucho tiempo las disputas si el error estuviese de un solo lado".

Solamente, ya que cometí el error de aceptar escribir sobre este tema, me basta con garabatear un conato de poema:

LA CALLE DEL ERROR

Entre la calle de las certezas
Y la avenida de la soberbia,
Preferí cruzar
Por la vereda del error.
Allí encontré viejos
Amigos desconocidos.
Encontré al hombre
Que creía posible
Inventar un espejo de hielo
Para las muchachas del desierto,
Al que quiso caminar
En tres orillas del río,
Al que pensó en fabricar
La moneda de tres caras,
Al que creyó indeleble
Su nombre escrito en el agua,
Al hombre que quiso
Dejar su cuerpo en casa
Para irse de paseo
Sin su estorbosa presencia.
Preferí la callejuela
De los equivocados
Que el salón de las certezas.
Perseguí las confusas
Palabras de uno
Que pintó un túnel en un muro
De la cárcel
Para ayudar a escapar a sus amigos,
Al que tuvo errores de cálculo
En la fabricación
De una bicicleta de viento,
Al pintor fracasado que quería
Saborear con vino

El pan pintado en la alacena.
Entre la calle de las certezas
Y la avenida de la soberbia,
Preferí cruzar
Por la vereda del error.
Allí encontré, nervioso aún,
Al que quiso esconder en un poema
A un hombre a punto de ser fusilado,
Al que siempre ignora qué responder
Cuando preguntan "quién anda por ahí",
Al ladrón de imposibles,
Al que quiso ser jinete de sí mismo
Y se dio a galopar en su locura,
Al que quiso colorear las vocales
Y besar la lejanía,
Al ciego que no declaraba
En las aduanas los paisajes
Que llevaba en su tacto
Y sólo quería escribir un libro
Hecho de olores y sabores,
Al que nunca acertó con el arco
Y jamás dio en el clavo de lo cierto.
Entre la calle de las certezas
Y la avenida de la soberbia,
Preferí cruzar
Por la vereda del error.
Allí me encontré viejos amigos
Que sólo leían en los libros
El colofón de las erratas.
En todos ellos,
Hay más verdades
Que en los hechos comprobados
De nuestra estúpida historia.

COSAS POR HACER

Mateo López

Llego al estudio, preparo y me sirvo un café. Tomo el café a sorbos mientras camino el interior, miro las plantas, cambio una silla de lugar. Doy otra vuelta, me detengo en algo, observo y pienso. Busco con qué anotar. Dirijo la mirada hacia la taza para tomar otro sorbo, pero no está, ¿dónde la puse? Allá sobre la mesa. Voy por ella y sigo caminando entregado a la procrastinación.

Percibo este espacio como una constelación. El cuerpo realiza recorridos, hace trazos y va uniendo puntos. Instintivamente escribo en un papel "Mille of string" de Marcel Duchamp. Adentro dialogan el mobiliario y las herramientas con piezas a medio camino, ensayos y errores que dan cuenta de la vida dentro del estudio.

Abro un libro que está sobre el escritorio, un número de página al azar, me siento y le doy una ojeada. Me pongo de pie, camino hacia al estante, recojo un objeto que lleva varios días errático en este espacio, abro una caja que se siente ligera de peso y lo guardo ahí. Sin pensarlo mucho escribo en otra tarjeta la palabra Caja y escribo nuevamente Caja entre caja... Regreso al escritorio, me siento. Extiendo mi brazo derecho y hago los estiramientos que me recomendaron en la fisioterapia, en medio de ese leve dolor me imagino escribiendo con la mano izquierda. En otra tarjeta escribo mi firma con la mano izquierda. Y queda resonando en mi cabeza dibujar de una manera que desconozco.

Doy un golpe con los dedos al computador y se enciende la pantalla, leo los mensajes que han llegado. Busco otro sorbo de café y ya está frío, hasta ahí llegó ese café. Me levanto por una carpeta con dibujos sin acabar, entre ellos encuentro un dibujo que sugiere otro por hacer. Y anoto esta tarea. De estas acciones repetitivas dentro del estudio, escribo ideas sueltas, cosas por hacer. Con frecuencia las listas no productivas son las más largas. La mayoría de las veces son medidas en centímetros, el título de una obra que nunca se formalizó, compras del supermercado, una dirección o el nombre de un artista que evoca una imagen específica. Incluso listas de listas de cosas por hacer.

Algunas de estas tareas no llevan a nada, pero en el proceso del hacer, la prueba y error, se generan posibilidades del azar y me alejo de la obviedad.

COSAS POR HACER

- AFIRMACIONES EN UN DÍA
- NEGACIONES EN OTRO DÍA
- PAISAJES DE MI VIDA
- CIUDADES IMAGINARIAS EN LA LITERATURA
- COSAS DE COLOR ROJO
- NÚMERO DE PÁGINAS EN ORDEN ALFABÉTICO
- VERSIONES DE UN RELÁMPAGO
- ANIMALES SIN PATAS

- REGISTRO DE LO QUE COMO
- INVENTARIO DE MI CASA
- PAÍSES QUE ME EXIGEN VISA
- PARTES DEL CUERPO POR TAMAÑO
- HABITACIONES DONDE HE DORMIDO
- LLAVES QUE NO SE QUE PUERTA ABREN
- TODAS LAS PERSONAS QUE CONOZCO
- REGISTRO DE LO QUE COMO

COSAS PARA HACER EN 5 SEGUNDOS

NARICES FAMOSAS

VEGETALES Y VERDURAS POR COLOR (GAMAS)

OBJETOS QUE HE EXTRAVIADO

COSAS EN ESPIRAL

CONTENIDO DE MIS BOLSILLOS

CANCIONES CON MI NOMBRE

HOTEL "EL SALTO"

Bernardo Ortiz

1.

Me cuesta trabajo acordarme de un pasaje de la novela *El loro de Flaubert*, de Julian Barnes. No tengo el libro conmigo, aunque debo confesar que prefiero este recuerdo dudoso. Sospecho que con el tiempo he ido agregando cosas que no estaban escritas allí. Recuerdo que Flaubert entra a Egipto acompañando las tropas de Napoleón. Escala una de las pirámides y cuando llega a la cúspide se sienta, cansado, a comer una naranja. Mientras come la naranja piensa en la cantidad de trabajo invertida en la construcción de la pirámide en la que está sentado (una figura rolliza encima de un gran triángulo). Piensa en las piedras enormes que tuvieron que ser arrastradas hasta el lugar. Piensa en el peso de las piedras que forman la base de la pirámide. Piensa en el absurdo de la empresa. Una pirámide es una estructura que no sostiene nada. Un escritor gordo comiendo una naranja, por ejemplo. Flaubert baja la pirámide dejando en la punta un montículo de cáscaras de naranja.

2.

Otra escena de novela. Esta vez de *La obra maestra desconocida*, de Balzac. Cuando Frenhoffer ve la *María egipcia* de Porbus pregunta retóricamente por lo que le falta a la pintura. "Nada", contesta a su propia pregunta. "Ah, pero esa nada es todo", agrega. Le arrebata los pinceles a Porbus y se aplica a terminar la pintura. En este caso, terminarla significa agregar una pincelada aquí y otra allá. Leves toques. Y para sorpresa de todos los presentes esos leves toques revelan lo que no se puede pintar; el aire; el espacio. Ese "Je ne sais quoi qui affriande les artistes," escribe Balzac con ironía.

Como si la pintura de Porbus fuera turbia; inmersa en la niebla de la pintura; esa sustancia pastosa que la hace una Pintura (minúsculas, mayúsculas). Las últimas pinceladas de Frenhoffer hacen invisible la pintura. Los toques de blanco que transforman una mancha de pintura azul en el vestido de satén de la *Infanta Margarita* de Velázquez. Pensar en el montículo de cáscaras de naranja que Flaubert deja en la punta de la pirámide.

3. (Una digresión)

La Pintura de Porbus no está hecha de pintura. En verdad (¡!) está hecha de 2.436 palabras –incluyendo las pinceladas finales de Frenhoffer–. Ocupa seis páginas de la novela de Balzac, dependiendo de la edición (y el tamaño de la tipografía, de la página, de la caja tipográfica, interlineado, etc., usados para reproducirla). Sobre todo toma tiempo en ser leída.

4. (Otra digresión)

¿Qué implica esta frase, "leer una pintura"? ¿Para qué usar la lectura como una imagen que describe metafóricamente la forma cómo alguien se acerca a una pintura? Con el paso del tiempo la metáfora se ha engranado tanto en la forma cómo las personas hablan de una imagen (o incluso del arte en general), que no es raro oír a alguien decir "esa obra no me dice nada". Como si la pintura (o una obra de arte) tuviera que hablar, responder, significar algo.

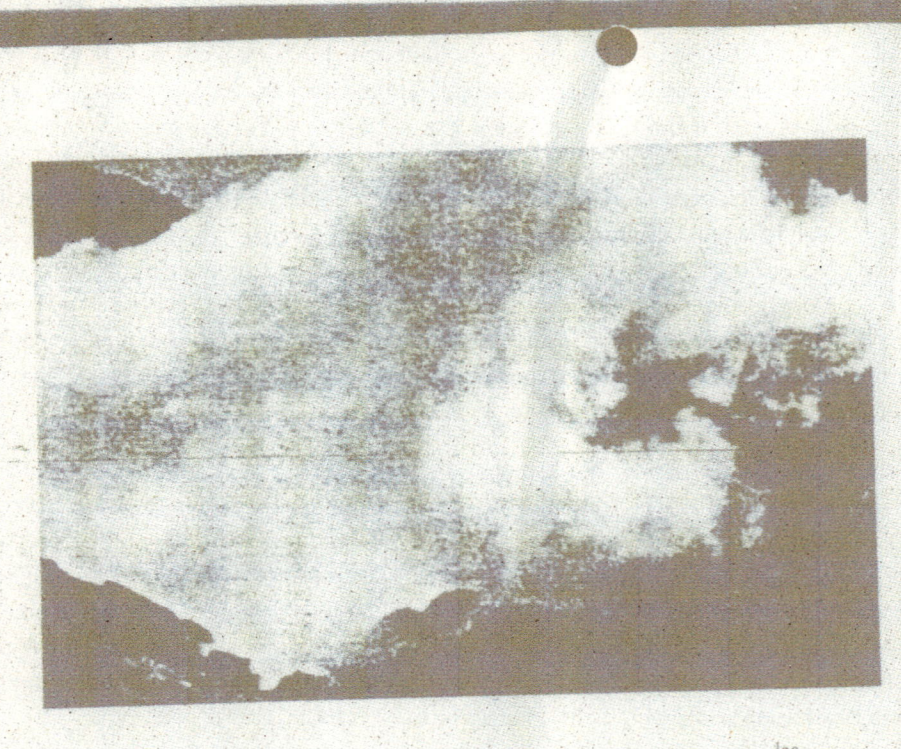

59 60   nubes   las
                                                     la montaña

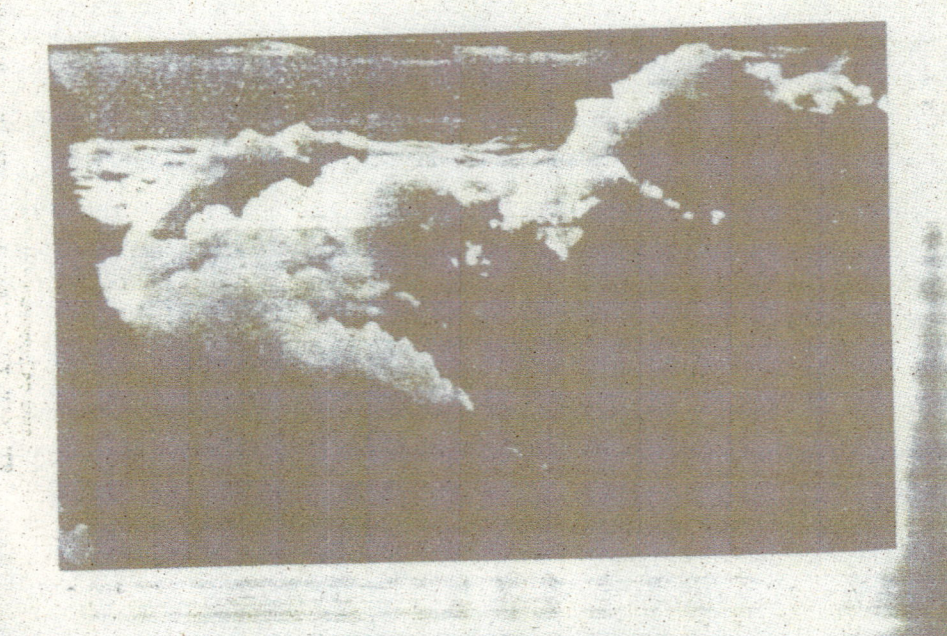

HOTEL "EL SALTO"

5.

Un estudiante miope mira imágenes de pinturas reproducidas en libros de arte. Hay un punto en el que, de tanto acercarse a las imágenes, las pinceladas se deshacen en pura información –porque la trama fotomecánica que da la ilusión de pintura es básicamente eso: información–. Las pinceladas maestras de Frenhoffer se convierten en puntos de cuatro colores… cyan, magenta, amarillo o negro. Esa superficie turbia que obligó a Frenhoffer a arrebatar los pinceles de Porbus reaparece como un velo sobre el que se proyecta el recuerdo distante de una pintura –aun si es vista por primera vez–. Pensar en lo que constituye la imagen de una pintura.

6.

Una conversación con A sobre sus dibujos. Describe por escrito escenas cotidianas. La esquina de una oficina de correos en Berlín, por ejemplo. La pierna de alguien cruzándose con la pata de una mesa. Una mujer que se queda dormida en el metro. A ha desarrollado una especie de taquigrafía que le permite fijar hasta el más mínimo detalle de cada escena. De regreso en su apartamento A utiliza estas descripciones para reconstruir con su mano las escenas vistas. Sospecho que utiliza un rapidógrafo 0.1 para hacer constelaciones de puntos que conforman la imagen. Cuando estos dibujos son reproducidos a su tamaño real (10 x 15 cm.), los puntos que conforman la imagen (de la mujer durmiendo en el metro, por ejemplo) son casi del mismo tamaño de de los puntos de la trama fotomecánica. Ambos sistemas chocan en la superficie de la imagen.

7.

La reflexión modernista sobre la superficie dimensional fue apresuradamente archivada como una empresa puramente formal. Al mismo tiempo, el hecho de que el mundo de hoy es cada vez más bidimensional parece un hecho reprimido. Pensar en la ubicuidad de las pantallas y de las superficies planas.

Todo es plano. Todo es liso. Y todo parece transparente. Las interfaces de los sistemas operativos de computadores, las pantallas táctiles, intentan eliminar cierta tosquedad en la forma como se manipulan los objetos. Pensar en las consecuencias de esta ilusión. Pensar en lo útil que resultaría el anti-ilusionismo moderno.

8. (Alegoría torpe)

Imaginar un disco de acetato en el que se han grabado descripciones orales de pinturas abstractas –monocromas–. He aquí una puesta en escena del asunto. La superficie rugosa e inescrutable del disco da vueltas tercamente intentando reproducir otra superficie rugosa e inescrutable. Ambos sistemas se chocan en la superficie de la imagen.

9.

Debo insistir en que soy miope.

10.

Debo insistir en que re-elaborar manualmente la imagen permite entender los mecanismos que están en juego. Es acercarse corporalmente al punto donde la imagen se choca con la superficie que la hace visible.

(La trama fotomecánica, la retícula de píxeles, los surcos del disco –entre otros–).*

* Wittgenstein: *The Big Typescript*, 173e: Thinking a process in the brain and the nervous system; in the mind; in the mouth and larynx; on paper. Rermarkably, one of the most dangerous ideas is that we think with or in our heads. The idea of thinking as a process in the head, in that completely closed-up space, endows it witha an occult quality. Thinking is not to be compared to an activity or a mechanism that we see from the outside, but in whose workings we have yet to penetrate.

11.

¿Por qué no incorporar el concepto de "resolución"? "Resolución" en el sentido de medida de densidad de información. Una especie de *hackeo* metafórico. La misma imagen en diferentes resoluciones puede tener múltiples "contenidos", por ejemplo. Esto puede ser útil para evitar la dicotomía de forma y contenido que sigue siendo endémica a la escritura sobre imágenes. La misma imagen a diferentes "resoluciones" puede proveer diferentes conjuntos de relaciones entre sus partes.

11.1

Ésta es una carta, enviada en 1953, a los editores de la *Revista colombiana para el estudio de los tiempos modernos*. Poco se sabe de la autora o del autor o, incluso, del proyecto que estaban acometiendo en la época (un inventario de la cultura material en Colombia.* Lo que resulta interesante es la respuesta que una imagen de "baja resolución" de una pintura de Malevich puede sucitar.

* Los asuntos que se vislumbran en esta carta son amplios y desbordan estas notas. Resulta cómico –y trágico– que este inventario esté perdido.

13.

Una escena: una lavadora de ropa en el ciclo de escurrir (taca - taca - taca - taca - taca - taca - taca - taca…). Acordes de una canción de Schumann.

14.

01. sep. 98: La pintura como una acumulación de decisiones. Pensar en Flaubert en la pirámide.

15.

Recolectar todas las reproducciones de las "Inserções em circuitos ideológicos" de Cildo Meireles. ¿Qué reproducen estas imágenes? ¿Tres botellas de Coca-Cola? ¿Y qué del mecanismo que está en juego ahí? ¿Puede ser reproducido? ¿A qué "resolución" están todas estas imágenes operando? Y de paso, ¿es posible hablar de imágenes "rasterizadas" o "vectorizadas"?

16.

Ejemplo a (Instituto Smithsonian, 1974): "A medida que los geólogos soviéticos empezaron a conocer más de cerca a la familia Likoff, se dieron cuenta de que habían subestimado su inteligencia y habilidades. Cada miembro de la familia tenía una personalidad definida; el viejo Carlos se deleitaba con los aparatos que los científicos traían desde su campamento, y aunque continuaba creyendo con todas sus fuerzas que era imposible que el hombre hubiera puesto un pie en la luna, se adaptó rápidamente a la idea de los satélites. Los Likoff los habían visto desde 1950, "cuando algunas estrellas empezaron a moverse rápidamente por el cielo", y Carlos concibió una teoría para explicarlo: "A la gente se le ha ocurrido la manera de lanzar fuegos artificiales que son como estrellas". Pero lo que más le sorprendió fueron las bolsas de celofán. "Por Dios, lo que se les ocurre –es vidrio que se puede arrugar–". Y Carlos se aferró a su condición de patriarca, aunque ya tenía más de ochenta años".

17.

15.ago.13: a. Debo poner unos dibujos en una galería. Antes de ponerlos en la pared están en el piso. La sensación vacía de que es absurdo.

b. Camino hacia la galería. Lo incómodo de ciertas expresiones como "mi trabajo", "la obra". Implican un deseo de hacer productivos ciertos actos.

c. Llego a la galería y se rompe un hechizo. Papeles tirados en el piso. A punto de ser nada.

d. Camino por la carrera 7 y recuerdo un artículo escrito por un teólogo italiano en 1957. Se lamentaba de que la cuestión de las imágenes había desaparecido de las discusiones teológicas. Consideraba que el hecho de que "hoy fuera tan fácil producir y reproducir imágenes había espantado el maravillamiento ante la ilusión de la imagen". "Vamos camino a un cinismo secular ante el milagro de la imagen". En una nota al pie se queja de la aparición de sonrisas en las fotografías. "Dentro de poco sólo existirán imágenes de rostros sonrientes". Al final del artículo el teólogo aboga por una nueva "tecnología pictórica", tosca, que tape las imágenes, que las haga torpes para así abrir el camino al "milagro".

18.

16.ago.13: http://www.flickr.com/groups/3d-print-failures Imágenes de errores de impresión 3d. Una historia podría empezar así: "Si la promesa se cumple, la impresión 3d revolucionará la producción de objetos —un cambio tan radical como lo fue la revolución industrial–. Pero eso ya ha sido discutido ampliamente. Tal vez sólo pienso en una nota al pie para esta historia, me pregunto qué resultará del uso continuado de los procesos bidimensionales de impresión como metáfora de los nuevos procesos tridimensionales. Lo interesante de ver los errores es que de repente reaparece cierta tosquedad (terquedad) de la materia. Cierta 'baja resolución'. La imagen en donde una pieza rectangular y precisa se ve interrumpida por una maraña de hilos".

19.

20.ago.13: Mirar una superficie es también caminar. Acercarse y alejarse continuamente.

MEMORABILIA OF ERRORS

Nicolás Paris Vélez

44 Oficios de Artista

*El vago metódico.
*El cartógrafo de nubes.
*El artífice sin leitmotiv.
*El cerrajero sin salida.
*El sabio ignorante.
*El atleta sin meta.
*El cuentero sin memoria.
*El carpintero pirómano.
*El payaso sin gracia.
*El baterista arrítmico.
*El expedicionario sin movimiento.
*El muerto eterno.
*El cartero fisgón.
*El sombrerero insolado.
*El relojero impuntual.
*El astronauta aterrizado o con los pies en la tierra.
*El francotirador bizco.
*El poeta analfabeta.
*El tonto ilustrado.
*El contorsionista jorobado.
*El comunista diestro.
*El conservador zurdo.

*El asesino moderado.
*La ama de casa globalizada.
*El verdugo de inmortales.
*El ladrón ruidoso.
*El intérprete de silencios.
*La costurera remendada.
*El vigilante inseguro.
*El jardinero sin paisaje.
*El científico religioso.
*El arquitecto de sombras.
*El coleccionista de suspiros.
*El empleador despedido.
*El vampiro diurno.
*El buzo de superficies.
*El químico sin reacciones.
*El cronista sin acontecimientos.
*El librero de arena.
*El velocista palíndromo.
*El embolador opaco.
*El traductor monolingüe.
*El sepulturero de ballenas.
*El dibujante sin línea.

Memorabilia of errors

- language
- XXY chromosomes
- outside the lines
- cacophony
- hiatuses
- neologisms
- you
- the truth
- white colors
- reality
- love
- eternal love
- illogical inferences
- deformed theorems
- habits
- allocated
- solid flat
- a three-dimensional plane
- hyperbole with positive curvature
- melancholy
- *saudade*
- adjacency
- intrusion
- unlearn
- place

- stud
- disrupt
- thwart
- mutation
- confront
- injury
- turn
- tactics
- crises
- geometry
- school
- imagine vs. produce
- progress
- trace
- teaching
- paternalism
- dependency
- B to A
- resistance
- detours
- delay
- repetition
- complication
- specialization
- efficiency

- conclusion
- commune
- 1+1 = 11
- a line determined by a point
- hesitate
- letter *h* in Spanish
- *alumnus*
- stuttering
- mumble
- (a)precarious
- impermanence
- pupil
- reversible
- temporal
- dwarf
- re-membering
- autism
- albino
- a stain on my shirt
- heaven or hell
- a slap
- a broken glass
- mélange
- a clown

Al trabajar desde la aceptación de lo errático o asunción del equívoco, no hay decisiones prefijadas y las casualidades son las que terminan por dibujar las ideas.

Son múltiples operaciones que se ensamblan y terminan por desdibujar las intenciones.

centro*centro*centro*centro*

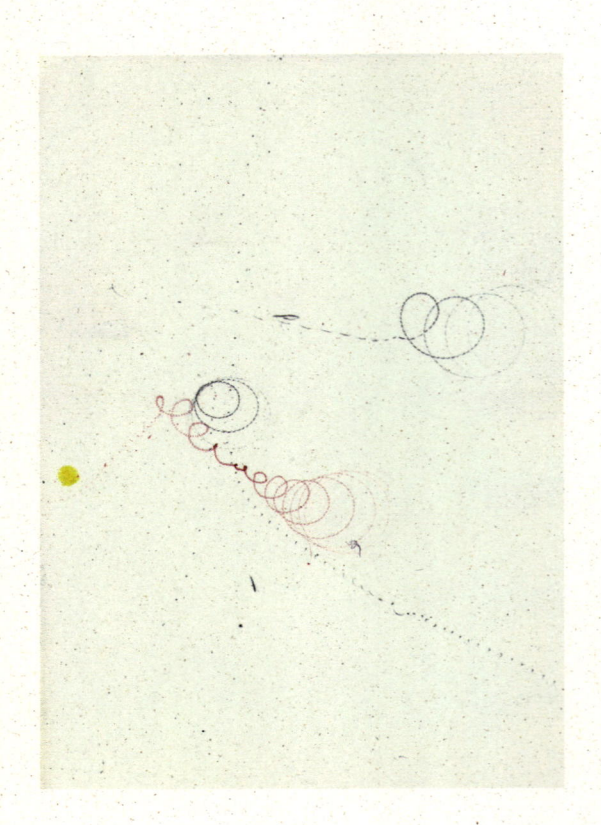

Nicolás Paris Vélez, desde el principio:

44 oficios de artista, 2009
Memorabilia of errors, 2014
Centro, 2014
Error mutación, 2014
Pirinola, 2014
A B, 2014

LEO FINES. PERSONAJE ABSURDO

Daniel Salamanca

Imagine usted que está en una época remota y en un contexto geográfico que desconoce. No sabe muy bien si se trata del futuro o del pasado, pero de seguro es su presente. Sigue siendo humano y sigue perteneciendo a un mundo que a su vez encaja en un amplio universo. Aunque todo parece distinto, en realidad todo permanece igual. El error: pretender trazar límites entre la gente, adjudicarle el mando del juego a una sola persona e imaginar que las cosas cambian. De eso se trata este proyecto gráfico. De construir un personaje de ficción, artista multidisciplinar (por no decir que domina más de diez oficios), al cual le han legado la monumental tarea de re-trazar o redibujar el mundo, con las actuales fronteras terrestres. Una tarea imposible y que, a mi modo de ver, cuestiona la excesiva ambición humana por trascender, por encontrar una verdad absoluta y por depositar en otros la incapacidad propia para hacer las cosas bien. De nuevo, he ahí el error. Y de eso se trata este perfil, este inventario de líneas y esta narración absurda. De ver cómo la ficción no está tan lejos de nuestra realidad.

GREGORIO LEÓN CONFINES
(4082 - 4201)

INVENTARIO DE LÍNEAS TERRESTRES PARA DIBUJAR UN MUNDO | APROBADAS POR LA ATLAS *

CARACTERÍSTICAS PRINCIPALES

- Rectas
- Curvas
- Ángulos pronunciados
- Diagonales
- Irregulares
- Harmónicas
- Cortas
- Infinitas

ARCHIVO E INVENTARIO DE UNA CIVILIZACIÓN EN DESUSO

1. Estados Unidos (Alaska) - Canadá
2. Canadá - Estados Unidos
3. Estados Unidos - México
4. México - Guatemala
5. México - Bélice
6. Guatemala - Bélice
7. Guatemala - El Salvador
8. Guatemala - Honduras
9. El Salvador - Honduras
10. Honduras - Nicaragua
11. Nicaragua - Costa Rica
12. Costa Rica - Panamá
13. Panamá - Colombia
14. Haití - República Dominicana
15. Colombia - Venezuela
16. Colombia - Ecuador
17. Colombia - Perú
18. Colombia - Brazil
19. Venezuela - Brazil
20. Venezuela - Guyana holandesa
21. Guyana holandesa - Surinam
22. Suriname - Guyana francesa
23. Guyana holandesa - Brazil
24. Surinam - Brazil
25. Guyana Francesa - Brazil
26. Ecuador - Perú
27. Perú - Brazil
28. Perú - Bolivia
29. Perú - Chile
30. Bolivia - Brazil
31. Bolivia - Chile
32. Bolivia - Argentina
33. Bolivia - Paraguay
34. Paraguay - Brazil
35. Paraguay - Argentina
36. Argentina - Brazil
37. Argentina - Uruguay
38. Uruguay - Brazil
39. Chile - Argentina
40. Irlanda - Reino Unido
41. Portugal - España
42. España - Francia
43. Francia - Bélgica
44. Francia - Alemania
45. Francia - Suiza
46. Francia - Italia
47. Bélgica - Holanda
48. Holanda - Alemania
49. Bélgica - Alemania
50. Alemania - Suiza
51. Suiza - Italia
52. Suiza - Austria
53. Italia - Austria
54. Alemania - Austria
55. Alemania - República Checa
56. Alemania - Polonia
57. Alemania - Dinamarca
58. Noruega - Suecia
59. Italia - Eslovenia
60. Croacia - Eslovenia
61. Eslovenia - Austria
62. Austria - República Checa
63. República Checa - Polonia
64. Suecia - Finlandia
65. Finlandia - Noruega
66. Noruega - Rusia
67. Finlandia - Rusia
68. Estonia - Letonia
69. Letonia - Lituania
70. Letonia - Polonia
71. República Checa - Eslovaquia
72. Austria - Eslovaquia
73. Austria - Hungría
74. Croacia - Bosnia-Herzegovina
75. Polonia - Eslovaquia
76. Eslovaquia - Hungría
77. Hungría - Eslovenia
78. Croacia - Serbia
79. Bosnia-Herzegovina - Serbia
80. Bosnia-Herzegovina - Montenegro
81. Serbia - Hungría
82. Hungría - Rumania
83. Hungría - Ukrania
84. Polonia - Ucrania
85. Polonia - Bielorusia
86. Lituania - Bielorusia
87. Letonia - Bielorusia
88. Letonia - Rusia
89. Bielorusia - Ucrania
90. Ucrania - Rumania
91. Rumania - Serbia
92. Rumania - Bulgaria
93. Montenegro - Serbia
94. Montenegro - Albania
95. Albania - Serbia
96. Albania - Macedonia
97. Albania - Grecia
98. Serbia - Macedonia
99. Macedonia - Grecia
100. Serbia - Bulgaria
101. Macedonia - Bulgaria
102. Bulgaria - Grecia
103. Grecia - Turquía
104. Turquía - Bulgaria
105. Rumania - Moldavia
106. Moldavia - Ucrania
107. Ucrania - Rusia
108. Bielorusia - Rusia
109. Marruecos - Algeria
110. Marruecos - Sahara Occidental
111. Sahara Occidental - Mauritania
112. Mauritania - Algeria
113. Mauritania - Mali
114. Mauritania - Senegal
115. Senegal - Gambia
116. Senegal - Mali
117. Mali - Algeria
118. Mali - Guinea
119. Guinea - Senegal
120. Argelia - Túnez
121. Argelia - Libia
122. Túnez - Libia
123. Guinea - Sierra Leona
124. Sierra Leona - Liberia
125. Liberia - Guinea
126. Liberia - Costa de Marfil
127. Guinea - Costa de Marfil
128. Mali - Costa de Marfil
129. Mali - Burkina Faso
130. Costa de Marfil - Burkina Faso
131. Burkina Faso - Nigeria
132. Mali - Níger
133. Burkina Faso - Ghana
134. Costa de Marfil - Ghana
135. Ghana - Togo
136. Togo - Burkina Faso
137. Togo - Benín
138. Benín - Burkina Faso
139. Benín - Níger
140. Nigeria - Níger
141. Níger - Algeria
142. Nigeria - Camerún
143. Níger - Libia
144. Níger - Chad
145. Nigeria - Chad
146. Camerún - Chad
147. Chad - Libia
148. Camerún - Gabón
149. Gabón - Congo
150. Congo - Camerún
151. Congo - República Central de Africa
152. Camerún - República Central de Africa
153. Chad - República Central de Africa
154. Chad - Sudán
155. Libia - Sudán
156. Libia - Egipto
157. Egipto - Sudán
158. Rep. Central de Africa - Sudán
159. Rep. Democrática del Congo - Rep. Central de Africa
160. Rep. Democrática del Congo - Congo
161. Rep. Democrática del Congo - Angola
162. Rep. Democrática del Congo - Sudán
163. Rep. Democrática del Congo - Uganda
164. Uganda - Sudán
165. Sudán - Eritrea
166. Sudán - Etiopía
167. Eritrea - Etiopía
168. Etiopía - Kenia
169. Sudán - Kenia
170. Uganda - Kenia
171. Etiopía - Somalia
172. Kenia - Somalia
173. Kenia - Tanzania
174. Uganda - Tanzania
175. Tanzania - Zambia
176. Tanzania - Malawi
177. República Democrática del Congo - Zambia
178. Tanzania - Mozambique
179. Zambia - Malawi
180. Malawi - Mozambique
181. Angola - Zambia
182. Zambia - Mozambique
183. Zambia - Zimbabue
184. Angola - Namibia
185. Zambia - Namibia
186. Zimbabue - Mozambique
187. Zimbabue - Botsuana
188. Namibia - Botsuana
189. Namibia - Sur Africa
190. Botsuana - Sur Africa
191. Zimbabue - Sur Africa
192. Sur Africa - Mozambique
193. Sur Africa - Lesoto
194. Egipto - Israel
195. Israel - Palestina
196. Israel - Líbano
197. Líbano - Siria
198. Israel - Jordania
199. Palestina - Jordania
200. Palestina - Siria
201. Siria - Turquía
202. Siria - Jordania
203. Jordania - Arabia Saudita
204. Jordania - Irak
205. Siria - Irak
206. Turquía - Irak
207. Irak - Arabia Saudita
208. Arabia Saudita - Kuwait
209. Irak - Kuwait
210. Arabia Saudita - Qatar
211. Emiratos árabes - Arabia Saudita
212. Emiratos árabes - Omán
213. Arabia Saudita - Omán
214. Yemen - Omán
215. Yemen - Arabia Saudita
216. Turquía - Rusia
217. Rusia - Armenia
218. Rusia - Azerbaiyán
219. Turquía - Armenia
220. Turquía - Irán
221. Azerbaiyán - Irán
222. Irak - Irán
223. Kazajistán - Rusia
224. Kazajistán - Uzbekistán
225. Uzbekistán - Turkmenistán
226. Kazajistán - Turkmenistán
227. Turkmenistán - Irán
228. Irán - Pakistán
229. Pakistán - Afganistán
230. Irán - Afganistán
231. Turkmenistán - Afganistán
232. Uzbekistán - China
233. Kazajistán - China
234. Afganistán - China
235. Pakistán - India
236. Pakistán - Cachemira
237. Afganistán - Cachemira
238. Cachemira - China
239. India - Cachemira
240. India - China
241. India - Nepal
242. Nepal - China
243. China - Mongolia
244. Mongolia - Rusia
245. China - Rusia
246. Bangladesh - India
247. India - Bután
248. Bután - China
249. Bangladesh - Birmania
250. India - Birmania
251. Birmania - China
252. Birmania - Tailandia
253. Tailandia - Lagos
254. Birmania - Lagos
255. Lagos - China
256. Lagos - Vietnam
257. Vietnam - China
258. Tailandia - Camboya
259. Lagos - Camboya
260. Camboya - Vietnam
261. Corea del Norte - China
262. Corea del Norte - Rusia
263. Corea del Norte - Corea del Sur
264. Malasia - Tailandia
265. Brunéi - Malasia
266. Malasia - Indonesia
267. Indonesia - Nueva Guinea

* Asociación Transnacional de Líneas Activas para Señalar

Daniel Salamanca, Leo Fines. Personaje absurdo detalle ilustración digital, 2014

LA MIEL Y LAS HORMIGAS

Daniel Santiago Salguero

```
a                drop           of                         honey
seen                                                       from
human                                                      perspective
ant                                                        perspective
```

```
una             gota        de              miel
vista                                       desde
perspectiva                                 humana
perspectiva                                 hormiga
```

Hace unos meses estuve trabajando con miel. Mientras la fotografiaba y grababa, una gota cayó sobre el mesón de la cocina. Rápidamente las hormigas vinieron y la rodearon, se quedaron ahí un buen rato. De la conmoción algunas hasta saltaron y murieron sumergidas en la gota. Me gusta imaginar la sensación que tuvieron las hormigas probando este poco de miel que para nosotros es insignificante. Supongo que es una buena metáfora de cómo hay situaciones en la vida, por ejemplo accidentes, que en otro nivel o perspectiva pueden desencadenar algo positivo o por lo menos un efecto dulce.

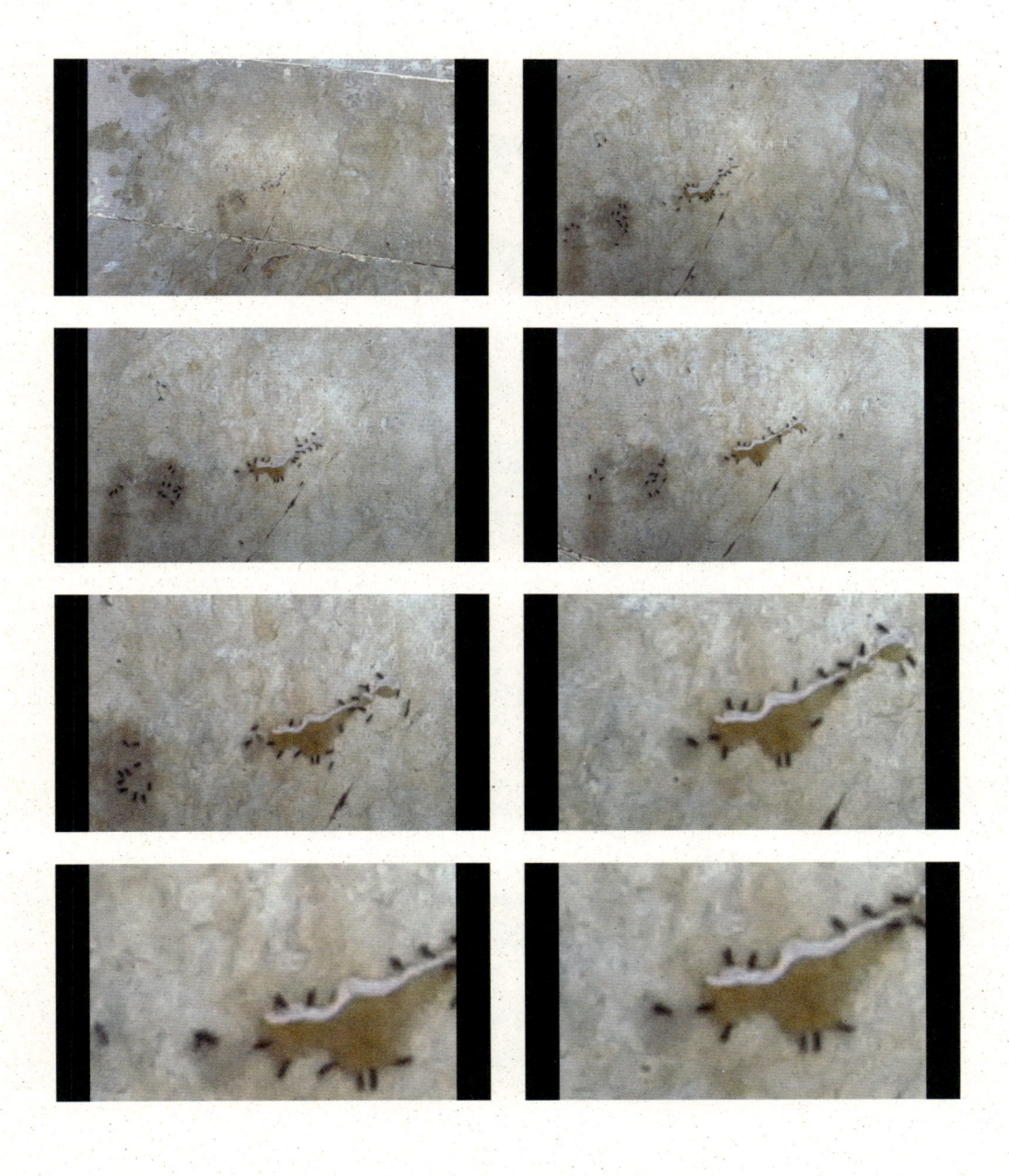

Daniel Santiago Salguero, La miel y las hormigas
8 fotogramas de vídeo 1'00'', 2014

ENGLISH TEXTS

COORDINATES

The beginning of the Tales-on programme takes place in Colombia, inviting five artists and five writers to reflect on the theme of error. The implied allure is geared to overcome the negative stereotype through testimonials and perceptions different from those which are culturally assonant and expected. The result is an artist's book, intimate and public, spread freely among institutions and organizations that deal with contemporary art, whose content, when deconstructed, is the subject of a series of international exhibitions, as well as this catalogue in which there is also space dedicated to the insights by the authors themselves.

Why in Colombia? The basic idea is to begin in Latin America because of its ability to offer alternative routes and unorthodox views in relation to social, economic and cultural themes. A natural search for differences that, with results which were more or less successful, has nevertheless generated portrayals which are able to open new horizons for reflection,--- freed from the features shaped by the dominant standards. Colombia was specifically chosen to develop the prologue to the project because we believe that within it you may find contradictions and intelligences that fertilize the soil from which the misunderstanding of "error" surfaces, whether it is seen as "stumbling" theorized by Karl Popper, or the more popular prosaic and fideistic idea of "everything has its own reason for happening". Added to this, is a rapidly evolving structured artistic context, and one where a new generation of creators, who already possess significant international experience and a look which is freed from the alleged fathers of a nation in eternal challenge with its contextualization and classification, join forces and impose themselves on historic authors.

The invited artists, Mateo López, Bernardo Ortiz, Nicolás Paris Vélez, Daniel Salamanca and Daniel Santiago Salguero, have ventured within a two-dimensional space represented by a sheet of 56x80 centimeters, in which to express their personal point of view on error, through the suggestions and creative codes derived from it. In turn, the writers Óscar Collazos, Guillermo Montes Linero, Efraim Medina Reyes, Robert H. Marlowe and Juan Manuel Roca, were asked to write a short story around the same theme, desiring in this way to combine storytelling and visual perception in one varied authorial case.

The collected works create a conceptual kaleidoscope whose aim is not to be didactic-encyclopedic, but rather a preparatory spark for reflection extended around error, the first topic in a series of themes and terms, in which human thought is featured and the languages and the places connected to it. Tales-on begins a journey that, if on the one hand is deeply engaged in social practice, on the other hand it evokes and draws inspiration from the image and the memory of those Cafés on the Rive Gauche where discussions and productions between artists, philosophers and writers actively fueled the intellectual and social progress of that era.

ABOUT THE ERROR - Marco Milan

My upbringing was normal. Suitable to the place where I was born and raised, suited to the inclinations that I believed to have, and the knowledge that I have developed over the years and characterized, in many cases, from parental encouragement. I still wonder how we can inherit knowledge. It would seem absurd to talk of inheritance for this kind of thing, and yet, to think of it, it is exactly what happens in an alternation sufficiently common as to be considered granted.

In my introductory map that talks about error, but also about fragmentary experiences and reflections around it, I want to continue by instilling from time to time fragmented images to help me with an inaccurate thought, articulated, as in the columns for a foundation, by highlighting some crucial terms. The first, which was mentioned above, is alternation. In relationships, you begin with the familiar context and then everything stretches and connects, rings are joined, while others, alas, are broken and lost. In this constant flowing and pouring out of choices, every little imperceptible step influences the next and so you find yourself deciding on the school, the vacation, the first place of work, the partner for one or more periods, exposing ourselves, instruments in hand, to drawing lines and defining the contours prepared ad hoc for ourselves. Trivial? Limiting? Partial? Probably yes.

In this context, talking about error could embody the affected ordinariness of a theme taken for granted, that sifts through the various choices employed in the only vital land that we know, ours, engaged in an entropic and pessimistic mechanism. If I had started later then I would have avoided this misfortune, if I had not accepted that invitation then I would not have lost those large sums of money and so on, in a list of positive or negative conditions and events, created by the logic of the common mistake that emerges with punctuality at every event that dominates our lives. What kind of mind, then, can drive such a thought? One answer might be linked to an attempt to recover and bring out the dimensions that belong to our hidden depths and, of which, one only partially becomes aware through trials and predictions, lived in any case, with an alienating sense of discomfort or, better yet, stigmatized under the larger umbrella of eccentricity. Here I encounter the second term that guides this writing, and it makes me dwell on its implications: the depth, meant as that t utopian look into ourselves without placing any limit or target, with the only curiosity to overcome, continuing, purely parametric concepts. This is not a fluid process however, quite the opposite: to defuse these impromptu journeys, we constantly come across, blocking the way, the steadfast words of normalization, of preserving, educating, and like these, many others, that always and in any case, punctually mark the boundaries of the possible, or the desirable for us and for everything outside ourselves. And so we form an opinion about the big and small things, an opinion, a modus operandi that accompany us without continuity and resolution and shape us, not saving us from contradictions and regrets. However, this litany about the struggle between determinism and passiveness is not convincing to the end, it looks more like a cursory attempt to claim convenient theories and justifications seasoned with a pinch of nihilism, and whose real substance inevitably dwells elsewhere. If error were only a matter of clear choices made or not made, we would be near another superficial taxonomy of existence, for which everything has its own evaluation and quantification.

But let's take a step back and mentally return to the first fall that has characterized us, let us remember the prelude to our major flaws, let's rethink the subtle betrayal of the expectations that we have generated. Common situations, known and metabolized in everyday life. I do not mean to disturb great thinkers' theories, nor test, in a disorderly way such important philosophical foundations, in the expected attempt to speculate academically on the matter.

This would probably be a mistake in itself. It is the daily routine, the only context in our possession, and as such, the dialectic of knowledge that plays within, based on the relationship between what lies on the inside and outside, between specific and general, between me and the you, thereby generating the personal consciousness of error, clearly a result of our incomplete being. Unresolved, this is the third term that articulates my reflection, leading to the urgency of new issues, abruptly overcoming the previous ones and going on to undermine the concept of common sense and identity.

And if, in turn, life itself were an error? How many times has this question, pushed to absurdity, drove my dissertations as a young teenager with his head in a fragile balance between desires, bodily strength and fickle moods.

Nothing elitist or intellectually high, but simply the badlands of inorganic growth, as are most of those who do not have an already clear and polished plan in every detail. But who can say to be prematurely and objectively prepared to face existence? In truth, I've probably never paused to reflect deeply on the subject, because of a feeling of inadequacy combined with one of those forms of passive self-defence, typical of electrical circuits which, with their mechanisms to protect themselves from sudden changes in external energy but that, after all, remain vulnerable to what happens inside them. The weather, the wear, the overload and ... Stop. Everything shuts down.

So we restart with the little things, the small details. The error may also arise simply from the need to relate elements, revealing itself in the illusion of time and space that we gave ourselves, in voluptuous collusion with the urgent need to quantify dimensions and define proportions. Relations, proportions: these are the terms of this fourth stop, in which the shutting down of perpetual motion becomes a significant step for reflecting on one's own identity and the reason for which it is established. Later on when the energy starts to flow, almost nothing can mimic the previous flow.

New paths appear, and regarding the past ones, only toponomy lingers as a need to our guidance, dominated by the desire for a future that, quite simply, will become, in turn, a memory, in a never-ending cycle that some believe do not even break with death. Deficiency and subtraction are the fifth element that lead me to overturn the prospects of what has been discussed. Couldn't it be life which breaks death's cycle? And what are the implications of every single element of our existence? What are the parameters to distinguish the ideas and beliefs that persist for their "high-repute" from those destined to oblivion because they are deficient or anachronistic? But there is no doubt that everyone, in their own time, has only the tools and the knowledge of their own contemporary world and that nothing is granted to us if not only assumptions applicable to a present in which what is revealed is only what is accessible to us. Returning to daily life, through an image of a disarming simplicity, it makes me think of how both natural and simple it is to be horrified in front of certain behaviours or weaknesses of an old man and vice versa, looking at the same, similar in every detail, with emotion and kindness in a young man. With these assumptions, we can therefore say that the biggest mistake is our aging, when in fact haven't we always been taught to count it as being among the highest of virtues? To overturn the plan where it all happens it may seem like an exercise in the defence of relativism, a game of opposites to hide everything and eradicate any certainty, but we cannot talk about the principles of subjectivism if we have no tools to fix them, even partially, within our contradictory existence. We live obsessed by identity, in an affirmative spirit that is purely artificial, foreign to the most elementary state of nature. Beyond all the axioms and proofs, try to imagine that the being, as an extreme exercise, is what we perceive as nothingness, by opening ourselves to highest acts of inquiry into the unknown. In which category of error would we place an intact search that may also contain the renunciation of existence itself? Maybe error, in this case, would be just a question, nothing more than one of the many questions with which I end this collection of fragments, unfinished since its inception, and marked by the columns of alternation, depth, the unresolved, relationships, proportions, the deficiency and the subtraction, all linked together in this vague balance of an architrave easily indefinable.

MISTAKES AND CHANCE - Óscar Collazos

Much of my life is built on "mistakes", decisions that my friends would never have approved and that I made without being sure that they were the best ones. If I had asked, they would have told me it was a mistake to take that path. This type of question would have generated a nagging feeling of uncertainty in my life, because everything I would have done after that would have been tainted by indecision. After many years of making mistakes, I came to the conclusion that the concept of error is always associated with insecurity. Many try to have it both ways or to solve problems without making hard choices. On the other hand, who decides what is right and what is wrong? During my high school years when I began to lose faith, and before I realized that I was closer to agnosticism than atheism, my philosophy professors did not spare any words to warn me that, sooner or later, the guilt aroused by my lack of religious faith would have crushed me. They could not explain how I could have fallen so easily into "error". I could not even explain it to myself, because I did not understand yet what the word "truth" meant.

The second of my mistakes, as an appendage to my religious indifference, was the abandonment of the two university paths that I had taken (the first one being Sociology and the second one Languages), to devote myself to writing. I liked both departments. Both involved the reading of many books, which was just what I had to do, because all writers do this: they read the millionth part of the great library in which one learns to become a writer. Why did I think that the university was not compatible with the blossoming of my literary vocation? Occasionally insecurity haunted me. It would take a long time for me to become a writer, and if I succeeded, I would have to dedicate much more time to writing to be able to get by with it. Because I had to live on something. I had no assets or income, nor did I have a family that could help me to satisfy the essential needs: feeding myself, dressing myself, putting a roof over my head, and to allowing myself some small pleasure. If I had not have committed the "mistake" of leaving the University, I told myself, I could have dodged pangs of hunger, the humiliation of borrowing from friends and the nomadism that the lack of any kind of acceptable social role forced on me. The pessimistic visions gradually wore down my being as the world adopted pragmatic formulas that were increasingly ruthless. Sometimes I thought that thanks to the reigning pragmatism and to its servants, becoming a writer would be something mysterious and fearsome, a kind of insubordination to the established order that was not possible to calculate with mathematical formulas.

What did it mean to be a writer? When do you became a writer in all respects? I thought that with a little luck, I would have written a book that would have been published, would have arrived in bookstores, be in the hands of the critics and then follow its destiny into the hands of readers. The same fate would have occurred with the next one. Ideas such as fame or fortune have never interfered; hardly the hope that someone would recognize the quality of my work. The latter was also one of the main arguments against the fear of making mistakes. He who makes mistakes certainly cannot act so disinterested. Was it a mistake to assume that everything would happen only with the help of a vocation? What then were the factors that would have given value to the act of writing and to the role of writer in society? I knew middle-aged people who had made the decision to be artists or writers, and that after a few years, they had had to deal with defeat. They lived full of anger and resentment, growing older swallowing poison.

They never accepted defeat, not because they had not obtained recognition, but because they knew that others would have succeeded where they had only received indifference and derision. Their individual cases could have served as an example if the choice of a profession and the price to pay due to a wrong decision had to be considered. To live is to know how to choose. When talking about these raté artists, we said they had chosen the wrong path to take. Even though they show a genuine passion for art and literature, they had fallen into the trap of assuming that they could be good artists or writers. Sincerity does not guarantee happy choices: falling prey to sincerity hits the mark but also many errors were committed. The time that elapses between the imprecise moment when you decide you want to become a writer, and the moment when others, i.e., readers, confirm that you really are one, is paved with anguish. You live on the edge of the abyss. How do you take responsibility for the initial failures? I always think of the garbage that many writers have had to earn and the feelings of failure that most likely have hounded them. In Buenos Aires, a famous critic of Spanish origin rejected Leaf Storm, the first novel by Gabriel García Márquez, asking the author to dedicate himself to other things. I do not know if André Gide has ever come to terms with the guilt of having rejected, on behalf of Gallimard, the first volume of In Search of Lost Time. One can assume that the rejection had not affected Marcel Proust's vocation, being conscious of having undertaken one of the most ambitious and creative adventures of the twentieth century.

Stubbornness led me to abandon the university, and, in the early days, to sink into a state of creative idleness. Living on the edge. Writing compulsively. One of the benefits of living without a well-defined job and without socially accepted rules was the freedom you gained in this kind of aristocratic marginality. I can say that I was free well before I had written something that merited the approval of my contemporaries; I was free regarding the organisation of my time, the choice of friends, the way in which I managed my occasional, meager revenues, when it was possible to receive compensation for my literary and journalistic texts. If the word mistake means not conform to reality nor reflect the truth, as I learned later, it was necessary to overthrow the meaning of my decision and accept the fact that being a writer means not adapting to reality but giving it a meaning which is different from appearances. It's not even a question of reflecting the truth because truth does not have one face or soul. The definition of mistake is precisely what it seeks to address and to problematize the literary creation. This certainty, acquired with the abandonment of the university and with the choice of the uncertain future of the writer, has finally appeased the sense of guilt that I had to tame during my youth. Many other things - in love, travel, friendships - were preceded or accompanied by intuitive and unreflective decisions.

I then stopped thinking about the "mistake" and I started considering it as the first step in arriving at a place which, although unspecified, gives meaning to our lives.

A HISTORY OF ERROR - Guillermo Linero Montes

The truth is that I had never seen it like this before, but now that it was manifested more directly in relation to myself, I see how much error has dictated my career as an artist. In fact, it has always been at my side during my artistic work, like an insidious ghost. A sort of life entity, whether imagined or real; "a presence", as a parapsychologist might say. In terms of the artistic profession, this error consists of, or to phrase it better, manifests itself in a sharpened capacity for being aware. Let me explain: when the error has appeared in my immediate environment, it does so at the very last opportunity that I have to change course, or put more precisely, when I already had no choice but to wring the swan´s neck. And even if that entails some sort of benevolent consequence, a last resort at the time it is most needed, it is also true that perhaps everything nerve-rackingly occurs because the real error brings a touch of the dramatic. Coming back to the now, while I am thinking of how to address it for this essay, I wonder if I am going to end up feeling the same as a crocodile hunter, knowing that, while he wrestles open the razor-sharp jaw of the reptile and struggles to keep it open, he cannot commit the slightest error in this nail-biting moment. However, it is not fair to make this comparison with the hunter given that he puts his whole physical being at risk if he makes any mistake while for me, error, just as much as success, is a mere concept, at times exposing my mental integrity in a very remote manner. Now I can see certain parts of my artistic activity that are tied to error, as if this were a part of the creative process, even though my initial experience as painter consisted in the very act of avoiding this altogether. In fact, my first notion about art was that it was all about beauty. Something very logical to be understood by an apprentice and so, having not yet formed any value judgements to speak of, I ended up unquestionably accepting beauty as a pressing obligation if I wanted to replicate the reality of the artistic way. And in this way, without any frivolous doubt, I understood that beauty to be an essential pre-requisite in order to validate artistic expression. (That song and painting are beautiful or that song and that painting are ugly, because there is a generalised valuation of art attached to beauty that is also perfection, far removed from error, also known as imperfection). Then I asked myself about the role of art, and perhaps in correspondence with the aforementioned notion of art that I had formed, common sense stepped in, allowing me to conclude that its role was to show us a different world to that of our daily life, while also being intrinsically attached to it. Therefore, art behaved as a sort of means to lead us to a virtual reality, something that I barely grasped at the time. However, what would we experience there that would be so different to the reality that we knew so well? What was so attractive and uncharted about it? Well, nothing less than the world of perfection, everything that is the opposite to the world of errors, the location of the palace of beauty, shining brighter than the Taj Mahal. In fact, in such a context, the key to art and the most important purpose of artists, seemed to boil down to one single matter: to capture beauty. In spite of my libertarian spirit, I was in doubt that this is something I should believe in and commit myself to, as doing otherwise would constitute a grave mistake, as serious as say, musicians who do not believe in the scale and harmony of sounds; or painters who disobey the laws of artistic composition, or poets and storytellers ignoring the power of the word. It would be like not believing in balance, knowing that this is a basic stratum for the realization of "properly developed forms" and for the plastic of the tangible world. Knowing that all of this was the foundations of reality as we know it, and that art, tautologically, was made with that reality, I became a sort of formula to become an efficient art worker: everything around me was likely to become art, whenever it presented itself as beautiful and I was assured of its perfection. An easy matter for the innocent enthusiasm of a neophyte: involving putting yourself out there, as I believed, taking on the role of Midas and turning every being, every thing or object that I chose into something that could be represented artistically. It was the error of youthful arrogance, leaving me cast aside like a shoe before my very modest social circle. And nothing seemed to contradict this: in my immediate environment, for example, I did not find any fruit, or chair, or floor, or neighbour that could aesthetically match their counterparts in my father´s art books: even rotten fruit seemed dazzlingly

beautiful on the printed page. However, in my early and staunch attempts to become artist, I was drawn to the concept of beauty in classical terms, of the general theory of art (harmony and balance) and I was greatly attracted by the way that different cultures universally and independently recognised the concept of beauty as a way of defining the arts, discounting the imperfect and the disharmonious: discounting error. And so I no longer had any doubts, thanks to the overwhelming evidence that this was just how it was : the arguments about the command of the concept of beauty were becoming obvious in the works of the great authors. Out of all of these, Michelangelo´s "David" comes to mind, considered as the only sculpture devoid of aesthetic error. I am thinking of "The Mirror of Venus" by Diego Velázquez, with its elegant seduction and beauty; and from the vast array of others, I think of "La Gioconda" by Leonardo Da Vinci, whose smile is a symbol of sensuality. The truth is that there does not seem to be any other outlet to express oneself with the resources of art within this context: each grape that is painted must be the best grapes in the world, each face the most revealing, each word the most delightful, each colour the only colour; and the very thing that constituted an insurmountable obstacle, the critical world, ended up in agreement with this. I logically came to the conclusion that what is beautiful for everyone else should be unfailingly so for me as well, otherwise there would be something wrong in how I interpreted reality, or perhaps, in my socialising skills, and if everything I created as an artistic piece was not validated as beautiful by everyone else, then that would mean that there was something that was not right in my creative process. Today, this brings me back to when I immediately set out to examine my feeble "artistic creations" that I had accumulated over the so brief period of adolescence, and I recall being presented with a wicked scenario: each fruit or flower that I had painted up to that point, every word written in my handwriting was unquestionably lacking the very essence of beauty. Without even being aware of it, I was personifying a manufacturer of monstrous beings and objects. That was when I realised that up to that blessed moment, I had been living with a serious error: believing that artistic expression consisted of exercising full individual freedom, when that was not actually how it was at all, where in order to capture that longed-after beauty, which defined the artistic, one had to follow unyielding principles and enrol in an academy, or study by oneself applying iron-clad scholastic discipline , i.e. working on the process of recognising everything that was already established. And so I did, running away, as I see it, from this blessed error, -i would have thought it - the blessed error of absent-mindedly creating like any old Piccasso. And just like that, I was no longer able to draw like I had before and the tables that I painted with their five and even up to 7 legs, would have to make do with just 4 and would have to be facing the floor, which entailed a complex challenge that I had never before achieved in my skill as painter. Straight away I understood where the concepts of artistic composition came from, the straitjackets, order, the rules that warn you that you can't make any mistakes, that you are not free and that freedom is singularly and jealously reserved for art; because, as Pavesse would have said, in reference how one tells a story, that can be also applied to art, "it all goes back to the inextricable mechanics of its own laws". The artist, for his part, should only follow these laws. And so ,without giving it any further thought, I promptly enrolled in the Santa Marta Institute of Fine Arts to study piano and painting, in effect learning how to put my feet on the ground (as well as under the piano), and more precisely, to turn the table legs to face the floor, to learn how draw. And what about the error? Now, I thought that I had already centred in on it and dominated it, and that is why I would do nothing other than attempt to wear it down, polishing my drawings with gusto and making beautifying the characters from my stories. Moving through a schema determined by the Renaissance concepts of balance, proportion and harmony was initially very comfortable, and in a tradition supported in the classical linear perspective, in the so-called "Renaissance box" (of Raphael Sanzio and Leonardo da Vinci), which is the great theory of art as an imitation of reality, within which the elements of beauty flesh out its formal presentation. That is why this type of beauty is always entrenched in the classic distribution of pictorial space and the basic notions of composition, essentially symmetry and balance, which are natural opposites of the concept of error. I was immersed in the assumptions of that theory, involving classical perspective, until I noticed that I was literally locked in a cell, in a space where I was refused the majority of the creative options that above all was holding me back from the most important thing of all: the freedom of artistic expression. An unquestionably good example of that box is "The Last Supper" by Leonardo Da Vinci thanks to its compositional structure and of course to the fact of being universally recognised, featuring Jesus and the 12 apostles, placed with architectural conviction in the rectangular space of the painting. Underneath the concept of that visual box, the resources and elements of artistic creation do not extend beyond the scope of the sense of sight: perspective, volume, light and shade, the horizon line and the imitation of reality, lay the artistic values in accordance with the beauty that interested me and as you see, everything boiled down to the realm of vision. The artistic world should be strictly identical to what is perceived by our eyes, where the other senses are merely fallen angels. However, this does not fit in this Renaissance space either, or in the dreams are physically devoid of any senses at all - for example, the five-legged table- or in the imaginations given over to other spheres of sensitivity, such as Diego Velazquez´s gallery of fools and jesters , who exalted prototypes of anti beauty, a serious error for the thinking of that time ; or the Don Francisco de Goya´s "Caprichos", that subverted the well-known spatial reality, to re-enact supernatural ideas, without a doubt constituting a moral error, where punishment included being burnt at the stake. And so once again, this error made its presence. I then began to see something that beauty had not allowed me to observe up to that point: that inside this aesthetic, there were signs that went against those that were artistically recognised as beautiful. I could also see that inside some of these paintings, of the same great painters representing the language of beauty, that there were hidden errors, contrary realities, and what particularly comes to mind that is worth mentioning from out of so many : the painting Las Meninas by Velázquez, for example. Despite meeting all the requirements and laws of harmonious composition, this master could not hide the ugliness of his models. Another proof of this is seen in Edgar Degas´s dancers, well-regarded owing to their delicacy and beauty, while in reality their faces were wasted, something that we can also see in the Van Gogh´s painting of the villagers, that while being so representative of the ennoblement of human expression, their faces still look unforgiving and rough as a sack of potatoes. And so this brings us back once again to the fact that I could not but help notice the error, just like someone biting the dust, owing to the fact that in this new perceived order, beauty was actually the reality with its multiple aesthetics and it no longer had to be chased, as it was really the starting point and one that you had to in fact flee from. In fact, symbolist poet Arthur Rimbaud wrote the verse below, which at the time was taken to represent a serious error, followed shortly afterwards, by being one of the verses that would open the door to the successes of aesthetic modernity: "One evening I sat Beauty on my knees – And I found her bitter". Beauty, for its own hysteria, had become the harsh reality in the commonplace, in the now, in the cliché; and this also involved its unusual conversion into an error. However, the idea of the error had changed its magnetic pole, involving a return to the forgotten belief that artistic expression should be the result of the exercise of individual freedom. In fact, the author of the "Sunflowers", who remained ever so faithful to the classic style, and to the study of the painters from before his time (Millet and Cezanne) and the academic assumptions of art of his contemporaries (Gauguin and Monet), himself being professor of drawing, played a trick with the notion of beauty, or the concept of "a well formed piece", roughing up the inside of the "Renaissance box" with new formal elements that were different to those required by traditional artistic composition and its stiff laws. It is worth mentioning, for example, the sinuous movement of its forms, according to the nineteenth century more of the soul that of physics criticism, which impressed certain subjective seizure or incidences upon its citizens and objects aligned to the assumptions of conventionality. This may have given rise to his genius, due to the fact that he was not afraid of erring, hence entailing an attack against the canons of the artistic beauty. The creators of the time, most of who were impressionists, as well as his peers from the art world and workshops would not have agreed to paint their special artistic anger, without the foundation of obedience to a compositional understanding, and not have done this outside of tradition, which strived for the search for perfection. Based on Van Gogh´s formal bravery, the deformation evolved into an artistic offering, and its creative option becoming widespread, even being used as a rebellious language, with its foundations rooted in social causes and the vices of society. And so I consequently surrendered to the to the shaping of my personal gallery of painted monsters with urgent fervour and fleeing the error once again, this time consciously, creating my first expressionist drawings, distorted by the pure conviction that this came from the artistic creation of my generation. I did it same way, a few small sculptures in clay, all of them with shocking faces and limbs. Not long after, I made a series of drawings in Chinese ink, portraits of everyday women. A writer friend, greatly successful despite his emphatically frivolous nature, could not hold himself back from announcing in a threatening and premonitory tone: "If you want to succeed as a painter, you are going to stop painting ugly people and stick to those that are better looking". I once again shook off the self-critical conscience, and I felt a flash of the spectre of error, undoubtedly once again encountering its recurring and insidious visit. However, this time, he seemed to be telling me to flee from those who have no faith in perfection, so that, with all that comes and goes that among perfection and error, the two of them would soon have to disappear. This was not only owing to my neglect, given to the fact that I got sidetracked for quite a while doing sketches and small modelled parts, but also owing to the emergence of conceptualism and the idea of how art, which replaced materials - the canvas, brushes and colours themselves - to comfortably adorn its own, namely words and speech, that for many, left the biggest error of the twentieth century as a result: the death of painting and sculpture, that ,today is being revived with its endless comings and goings. I personally do not know which of the two errors to blame, the brushes or the words.

THE STONES' HEART - Efraim Medina Reyes

I
Shih Huang Ti was violent and so much of a perfectionist that he considered the past a mistake. To correct this he ordered the burning of all the books that existed in his empire. He was going to cancel no less than every single piece of history so that the future could start from him, and in a sense he succeeded in doing so because all of the people refer to Shih Huang Ti as the first emperor of China, also remembering him as the creator of the Great Wall. Another flaw that Shih Huang Ti had wanted to correct was human frailty. For this reason, he drank a concoction that was supposed to have granted him immortality, but it seems that he had substituted some ingredients with others and that was how he died, poisoned. Shih Huang Ti, like every other human being, aspired to correct something, something within himself, the world, or both. Just like Shih Huang Ti every human being sees the world through himself, and from this perspective its merits become extolled, it is qualified and accused. And, like this rogue of Shih Huang Ti, every human being has lots of good intentions with which he purports to improve something. Yes, you the rogue who reads these lines, you are nothing but a ploy full of imperfections that you would like to get rid of. You are compulsive buyer of toothpastes, soaps, deodorants, colognes, electric shavers, moisturizers, cleansers ... Or you're an alternative smudge that uses natural remedies like Shih Huang Ti. You look at others with suspicion and you wonder how it is possible to live like that, breathe like that, chew like that. If you do not have animals, you hate them. And in the end, just like all other human beings, you love or have loved, like you tried to find the "right" person. And you would also like the right toothpaste, and a house with a sea view. Shih Huang Ti had a Siberian tiger, a huge tame beast who was with him day and night, followed him like a puppy, watched over him while he slept. The tiger was more than company or a friend or a lover, it was his shadow, his sixth sense. Obviously Shih Huang Ti did not swallow anything that had not been previously tasted by his tiger, which is why he drank the concoction convinced of immortality. He had not noticed any negative effect on the tiger, on the contrary, the eyes twinkled, the fur was shinier, the stride was more determined and the bearing was more superb than ever. But Shih Huang Ti was unaware that there was an herb in the concoction that stimulated tigers yet killed men.
Shih Huang Ti is remembered only as his legend, the tiger is neither dead nor can it die. Every night it retraces the arduous wall under the moon (in another version the tiger is captured by animal smugglers and sold first to a Mexican circus and then, a few years later, it is stolen from the circus by order of Pablo Escobar Gaviria (the legendary Colombian drug trafficker who, to satisfy the whims of his youngest daughter, had built one of the largest zoos in the world).
II
Most people aspire to fulfill themselves socially and emotionally through a job and a sexual relationship and/or a sentimental one. At the age of two a child has acquired language and an enviable view of the world, especially for the delicious anarchy of his every move and his indomitable attitude in the face of the patterns of time and space.
A child can perfectly remember the key events of his life and taste them before sinking into daily sleep. What happens then? Parents and family members enthusiastically greet his rebellious spirit, to them it seems funny that he confronts

authority, but they have the firm intention to restrict, little by little, its effective range. From their point of view it is proper that the child learns to obey and while watching him play they think that the time has come to take him to kindergarten. One does not come into the world, one escapes from the womb and ends up imprisoned in the world. The said child is part of that artifact called the family which is arbitrary and constitutes a fundamental aspect of the controlling society which is at the service of the Mechanism. Already at the age of seven we no longer have any active memory of what we were five years ago. The conceptual creature has been reduced to a functional being that has been inoculated with the dream of a profession and the fantasy of love. What is a profession? People live with the anguish of having chosen it and feel the pressure of "arriving." In my adolescence I competed in fourteen boxing matches without one win and I had the resolve to move forward. I enjoyed trading punches and every defeat strengthened me emotionally, but experts said that I had no talent for boxing and closed the door of the gym in my face. I never understood why my ability to absorb losses was not valued. Losing a match does not prevent you from receiving the expected compensation or to go dancing with your girlfriend in the same place where your rival will celebrate his victory. Losing is an art and I still believe that therein lies my greatest talent. The alternative that I found far from boxing was studying medicine and, although I was not the best in the class, I had all the credentials to become a doctor. What happened then? My family made many sacrifices but in the end financial problems forced me to leave the university. They were frustrated and felt guilty; I did not give a damn, I could have been a boxer unable to win, any kind of doctor or anything else. In any case, they would not have given me any leeway; my mind renewed itself from other things, especially from some memories and one of them being the image of a Siberian tiger that I had seen in a circus the day I had my fifth birthday (the tiger was not part of a show, it was in a cage. On the walls of the cage were photographs of trees, shrubbery and a lake with crystal clear water. A glass window of two square meters allowed the visitors to admire the magnificent beast). My father carried me on his shoulders and from above I saw his eyes cross with those of the tiger, then the tiger inspected me. My father's hands gripped my ankles. I sensed that he had made a promise to the tiger and his eyes were full of tears. I felt happiness and sorrow. That vision of the great tiger, its face separated from ours by a piece of glass eight millimeters thick, and the certainty that it was becoming extinct, it was one of the last tigers on Earth; the perfection of every haughty gesture, the colors and the sparkle of the eyes, its movements in the poorly reproduced wilderness, the jail that imprisoned its anxiety; the tiger that burns forever in my memory with my father is my point of fracture with reality. I imagined it in the cold dark night of the cage, while moving from side to side, waiting for my father to keep his promise to free it.

III

Tension is created among people living together, because they have not had a choice in being where they are situated. They dreamed of a collection of moments, but instead have to settle for the immanence of tedium that crushes any enthusiasm. Tension becomes the secret weapon used for not disappearing under the control of the other. They reduce the general reality into a series of conflicts. They feel bound to what they sense that the other expects, they detest the responsibility of maintaining the relationship at a high level. They exercise a profession to ensure revenue and strive to please the other, the children and the other parts of the framework. The tension tends to be unbearable and the escape routes have disappeared. It is obvious that people imagine or dream about other jobs and other partners who can replace what they now consider terrible. They feel guilty because they do not give and/or receive happiness and as a solution they try to imagine the same unfortunate framework. This is what I call "functional breaking of the goal". I do not have these problems, I have the tiger. My job would not be a profession. My love would not be love. In both cases they have to do with the dynamic with which they operate and are not defined in a context of ongoing reality. Try to think of that tiger: my father enters the cage and shoots it with a dose of tranquilizer. With the help of a free-the-tiger command he takes the tiger into the wild and he abandons it. The tiger wakes up not knowing that it can move freely and what it does is it replicates the mechanical style of walking of recent years. After spending countless hours demarcating the boundaries of the space in which it still believes to be confined, it notices the absence of an audience and it becomes sad.

Hunger drives it to seek the bundle of raw blood in the lambskin that the employees of the circus leave hidden in the artificial grass every day to ensure that it would not completely lose its wild instincts. It does not even find the silhouettes of the trees, the shrubs and of the lake that it considers its home. The steps are ever slower, despair and anguish pervade it. Crossing over that imaginary line that it left by walking all morning is impossible. As a sign of frustration, it scratched the glass and metal walls for years, extinguishing its spirit of rebellion, and bringing its soul to a level of resignation and humiliation, as it would have of any domestic pet. My father and his free-the-tiger command observe its movements hiding among the foliage and they do not understand why it remains in that confined space despite its hunger and thirst. When the tiger is still they decide to intervene. The tiger is so debilitated in body and spirit that they do not even have to resort to tranquilizers. My father discusses the situation with the members of the command. He agrees with them, the tiger refuses the freedom of the forest because circus life has alienated it to the point of considering it its natural environment, but he does not want to bring it back. My father believes it is much less dishonourable to die due to the inability to be free rather than to the humiliating security of spending old age in a cage. In the end the command has the upper hand and a few hours afterwards, the tiger is back in the circus.

IV

Shortly before his death, Shih Huang Ti fell in love with a courtesan from his concubine who had satisfied all of his demands but did not love him. Shih Huang Ti was young, handsome and intelligent (and the most powerful man in the empire, almost a deity). All the women of his empire adored him and wanted him, but Na Li (the courtesan in question) felt an odd sympathy for him mixed with worn out and distant affection. Shih Huang Ti suspected that this was punishment by the gods for his huge ego and decided to try to make it up to them by showing humility towards Na Li. He exaggerated with her in his behaviour and, instead of falling into the trap, she took him and spanked him, and by "took him and spanked him" I mean that she ordered Shih Huang Ti to get on all fours and smacked him repeatedly until her strength was gone. Soon after this, she called one of the trusted men of Shih Huang Ti and ordered the emperor to order his loyal soldier to undress and rape her in the most vile way. Shih Huang Ti obeyed Na Li and his faithful soldier obeyed the emperor. With his bloodshot eyes, Shih Huang Ti Na Li noticed how much fun Na Li had had as she had never had with him and knew that it was not the first time that the two had been together. When the soldier and his courtesan reached an orgasm in perfect harmony, the Emperor made a signal to the tiger who slaughtered and devoured the two lovers.

V

Did the tiger have any other possibility? (the tiger of my father as well as the one in the labyrinth of time is the same beast of Shih Huang Ti) I do not think the size or shape of a cage can change its basic structure. The romantic idea of freedom, and I say "romantic" in the most pathetic meaning of the term, recreates the escape as an indispensable factor and gives it meaning. People who leave a framework of life, believing that they are escaping an intolerable situation tend to bring back the same way of life. They believe it is simply a matter of replacing the elements without ever leaving the cage, like the tiger. The difference lies in the fact that the tiger traded the forest for the cage and in a sense had an opportunity. Conversely, people are so stupid and miserable to be convinced that the cage is a forest and in doing so, of course, they have no chance. The guys and gals that are in the room of a motel feel like they are transgressors and then, while dining with the wife or husband, they weigh their guilt, self-pity and the transgression of their actions, not knowing that that room of the motel (lived as an escape into the forest) is an integral part of that way of life. Subsequently, some take the decision to leave their spouse. In the enthusiasm of the early days with the new lover, the motel-forest falls by the wayside, but the functionality of that framework of living remains intact. The idea of escape is the favourite slogan of the Mechanism, it is what is on sale. People have traded freedom with enthusiasm for escape and nothing is more disheartening than enthusiasm elevated to the status of religion. Human beings who read Coelho or other garbage like that humiliate their spiritual dignity and nullify their ability to think. What makes a shit-eating worm like Coelho in his Sunday guru pamphlets is none other than the little shit of Mickey Mouse for third-rate employees. There is more vital intensity in a sack full of snot than in Coelho. Much of the advertising system of the Mechanism focuses on the idea of the escape as a rupture from the framework. The holiday as an answer to routine, sex with lover as an answer to marital sex, alcohol as an answer to sobriety, shoes from the Nike as an answer to the classmate's Adidas, the yearning for something new and unknown as an answer to what you have or what you think you have.

Immobility resides in the illusion of movement, in going towards something while leaving something else. To conceptualize the framework is the only way to transcend it, to "penetrate" it. Abandoning the framework is to live, however, superficially and to be at the mercy of what you want to give up. It is obvious that a man who has a lover will spend more, and I do not mean only economically, the Mechanism is more complex. It oppresses at various levels until it becomes imperceptible. Check the cells and the nucleus. Satisfaction is impossible because the idea of escaping always generates the desire for another escape. Transcendence is the immobility that does not stop, the minimum consumption that the Mechanism refuses. It is not about giving up desire but integrating it as a model and as an axis of thought. It is active desire and not the illusion that causes the horse to chase the carrot when the jockey holds it a few inches from his mouth.

VI

Infidelity as a concept is the basis of all relationships and life itself, but within the dynamics of love, it tends to be overestimated and loaded with fierce, melodramatic meanings. Two people vow to love each other madly and as soon as a conflict arises what prevails, what each one is horribly concerned about is delimiting and controlling what the other is doing with his/her sexual organ when they are not together. In the conflict of hair and viscera both discover that they have never had a dialogue and without dialogue, it is impossible without problematizing the phases of the framework and it is impossible to understand. The lover does nothing but close the circle around the object of his love; for the escape of a lover is an unforgivable slip, the idea of an escape is represented with images of viscera which writhe and bleed. The idea of an escape is the shit that feeds mammals. He who dreams of an escape is at the mercy of it. Federer and Nadal are two lovers who express their passion and seek to destroy themselves in a cage called a tennis court.

The audience watches them from behind imaginary glass which is at a prescribed distance. Everything is delimited by both real and imaginary boundaries. The two animals, Federer and Nadal, flaunt the same brand. They belong to the same owner. If one of the two wore Nike instead of Adidas, the framework would work anyway because both brands are part of the Mechanism. The ghostly face of the Mechanism is the sum of all brands, that's what people see. The essence of the Mechanism, however, is conceptual and does not have a direct relationship with its function. What we do not see controls our idea of freedom. The tiger is not a brand, apparently it does not have an opponent and is alone in that cage. The boundary that separates it from the audience is well defined. People who want to see the tiger have paid, are driven by curiosity and morbidity. They want to see a creature in danger of extinction, what remains of the universe and of an ecosystem. The Mechanism has elevated it to being a symbol, creating the illusion and the guilt of the tiger being locked up and the spectator being free. Nadal and Federer clash on the field and the spectator identifies himself in both, buys the illusion of being one of the two warriors, but on the field there are only two advertisements with the logo of the mechanism. Two slaves of luxury without any chance of choosing who desperately throws a yellow ball in the air. We admire this: the shadow of a tiger which is our insatiable ferocity and the ready-made homunculi playing with balls. War is a sub-reality that we watch on television, a sport that the Mechanism uses for other purposes.

VII

I do not presume to justify or criticize something in particular, let alone a single element, the search for definitions is irrelevant and sterile. I try to establish a dialogue between my thoughts and forms of expression and from there extract the concept. I have an inflexible life, but do not live like that: I slide inside it. My daughter had turned two and was watching the tiger in a zoo in Verona, the colours trapped in that elegant silhouette, bewitching it. The tiger was polite, as it brushed the glass without stopping. Elisa, my daughter, did not have the perception of limitation: the certainty of sharing the same space with that strange being frightened her and made her laugh. In me the feelings were contradictory, the sumptuousness of the animal was moving but I was afraid, a fear I possessed prior to that meeting. I looked into his eyes and I felt that no man was worthy of looking a tiger in the eye. Inside the framework, we were both predators and it (they) had lost the battle. However, transcending this argument which is so fragile, I felt empty and I felt the warmth of tears. They were not the same tears of my father, I did not care a damn about the extinction of that species, what troubled me was conceptual in nature and not political. Something that becomes extinct is a statistical fact, a file, a report written based on data and not on a vital experience, but people feel they belong to a Whole, and to themselves, consuming information and regrettably the information, despite its pyrotechnics, lacks content. What matters in the information is the direct relation to the event that it promotes or denounces. Knowing something has nothing to do with the existence of what one knows, what we know may be lacking in substance, what is important is the way in which it transcends from the emotional to the conceptual sphere. There is a big difference between those who informs us that it's cold and those who communicate it. The first is well covered and wants to share a subject; the second is naked and trembling in the dark night. My daughter saw a tiger while I saw a symbol. My daughter felt fascination and apprehension, I felt bitterness and fear. The sequence of dynamic fragments in the matter is the oxygen that brightens my day. The fat content of ordinary life must be converted into vital fuel. This is my work if I could consider it as such. I do not deprive myself of anything that is in the realm of possibilities, nor of my beloved impossibilities. Impossibility is the only thing I know.

VIII

Among the documents discovered in the aftermath of Shih Huang Ti, they found these lines: Your stupid life is a cage. All those creams and all the perfumes in the bathroom, the assortment of makeup and useless aspirations. Your faded lover, the rules that you impose upon yourself with mild arrogance. You are so empty that you only have a vague idea of yourself and a series of commitments that you consider binding. You do not know anything about me, and you cannot understand it. You fear me, my voice is a ferocious fetish that you refuse to listen to. You're cold and polite, you do not know the time, you do not know what it means the meaning of any element, concept, object. Your mind is full of reasoning, contents, your lazy relationships, your balance, your covert love, that homunculus, my slave, who fits you, an easily controllable, amenable, accessible being. You live on the surface of what you consider yours, go to dinner, to dance, to walk. And the dose of piercing sex becomes habit, that extinguishes, that shakes you and leaves you in the lurch just at the point of breaking.

It's a beautiful day in my empire, I write and watch the light outside that licks the still damp grass. Love is not an impulse, it is not an activity, love is not a code of conduct or a guide to health, it is not a pact, nor is it a secret. It is neither an appointment nor a bed in a nest that is going to be stained by saliva and secretions. You know what it is? No, you do not know it, honey. Your functional reality has exterminated language, what you call dialogue is just a set of words repeated until it loses its sense. You're nothing, no one, no one. Only my hands could rip the dress off you and pull you out of the grave, only my lips could budge the wall of your certainties. What defines time is the chance of meeting each other, but you continue to think only of offending me, for the rest you already have a long list of servants. You do not have the strength to change direction this day, to your life. You've created a philosophy of your inclinations and your uncertain decisions are laden with pride. What you imagine and consider yours one day will be your epitaph. However, I will be there. In a place deeper than your own flesh and your own soul. Deeper than uncertain and impotent love , than those who have sworn to love you, deeper than the one who has penetrated you with his toy penis and his midget fingers.

The sun rises amidst the clouds, the stones sparkle. Being still and heartless, are more alive than you. I look at them and I love them, I feel the heat from them and I wonder what will become of you.

So that scoundrel of Shih Huang Ti already knew everything, he plotted revenge against the woman himself for not being able to ignite her love and bring her to delirium, and of course his special vengeance against the traitor soldier. She was not the cause but the tool...like the tiger.

IX

My father said: He who looks only through the eyes is blind. He was thinking about it when the bell began to ring insistently. The discussion began in the car. In fact it started twenty minutes before, while he was shaving and she, his woman, insisted that they would arrive late. Then he stopped shaving. He wanted to cut his nails, but he put it off and put the first jacket he found on. Sitting in the back seat of the car, next to his daughter, he tried to forget the tension.

Feeling tense and guilty was a little like the story of his life. He did not need a reason to feel tension, it lay dormant in his nerves since he could remember and it was enough that someone pressed the switch lightly to unleash it. During his adolescence he had suffered long periods of depression and the psychiatrist had advised him to stay away from the philosophy books and go more to the movies. He knew he was not meant for life of the couple. He enjoyed being with the family and loved to share his existence with his wife and daughter, only that he could not conceive of it as an organic whole, but as a constantly evolving process. He did not take anything for granted, every detail was important and things were the result of what was happening and not of an irrevocable decision. Seeing the end of one type of relationship and the beginning of another in his marriage seemed like a form of selfishness, as if the marriage was sufficient for changing the mental and emotional structure of both spouses.

His daughter's laughter was a drug able to disconnect him from the world and from his most troubled thoughts. It was a filter that calmed him and gave him back the clarity of thought and of taking into account the different particles that overlapped in his frame of mind. Sharing love, children, situations, risks, sorrows and joys with someone was not enough to think of this person as a constituent part of themselves. Considering a person as an accomplice already seemed exaggerated. He could not deny that at times this person, the chosen half, managed to get very close and lend certainty to doubts, but it was a collector's moment and nothing more. Life and happiness were the responsibility of each individual, the couple in the best or worst of situations, it was a random event. It did not matter if he had been with her ten minutes or until the last breath. She was another person, a burden or a relief of circumstances. He loved and respected the woman in her and not out of her. He considered her to be a person exposed to him and he considered himself a man exposed to her. He did not believe in pacts nor in promises, he did not believe in emphasis. His daughter was a sentimental absolute without any reference. A totality where any consideration appeared unnecessary. (And the bell continues to ring).

VISIONS IN THE BACK LIGHT - Robert H. Marlowe

IDENTITY
I am a hybrid. That would be the way to say it, right? I was born in Bogotá, my mother had a strong line of indigenous ancestors that she does not like to acknowledge. My father is from New York, but rather than being the typical worldly man of the metropolis was a quiet man, with a Norwegian grandfather and whose mother was from Sicily. Anyway, my family is a chaotic melting pot of mixes and misunderstandings, and I am a by-product of all this. My mother didn't even want to have children and much less so with my father who at the time of my conception was married to her best friend. I don´t wish to exaggerate these facts about where I come from, it has not been quite as dramatic as it sounds. I also think it is only right to set the record straight that my mother has never denied her indigenous blood, or that she simply accepts or denies everything. She speaks in an ambiguous manner while my father is a man of few words. While I know this is incidental, nobody ever sat down and told me how I came to the world and it is not something I ponder too much on at this stage of my life. It went more or less like this: my father was masturbating in the bathroom and my mother came just after he had left and a handful of these pilgrim sperm made a pit-stop in her vagina, a version that has never been questioned by anyone. In fact Margot, who was married to Tommy (my father), remains her best friend and the two of them are still happily married while my relationship with everyone, including my three brothers from my father, is quite friendly and affectionate. I guess that it is hard to understand for certain people, but when you live within such a situation, you end up getting so used to it that it becomes normal.

PROFESSION
Sales have always been my vocation. As a child, I loved to copy the routines of the salesmen that knocked at our door with the intention of swindling my mother with some kind of artefact that they tried to present as just the thing that all housewives should have. While my mother was hard to crack, some of them were fantastic and our house slowly became a museum of useless bits and bobs. Each time that a relative would ask me what I wanted to be when I grew up, using that sardonic tone of adult idiocy, my answer was always the same: Door-to-door salesman. They thought it was funny, saying that this was what people who had fallen onto hard times had to do and that no one in his right mind would aspire to something like this. And so I started university in order to appease my parents and, after a few rushed semesters studying architecture, I threw away my chance at a bright future and travelled to the US to study several sales training courses. One of the instructors, Bob Filan, picked up on my talent straight away and recommended me to a friend who had a household appliances factory. A month later I was working and rang my father to share my excitement with him (my mother had sworn not to talk to me until I returned to university). My father didn't seem very happy but wished me luck. I spent five years putting all my energy into beating the existing record held by the salesman of the week, the month and later the year. I held secondary posts for the first two years, but the third was the year when I really made it big. I virtually doubled the records and my photo becoming bigger than ever on the wall alongside the great legends of J. J Parson Home Center. However, I did not stop there, leaving in the fifth year due to the lack of rivals to boost my growth and I threw myself into the indomitable and mysterious world of life insurance.

IDEOLOGY

Everyone said that I was making a mistake, that I did not know how to make the right decision at the right time, that I ought not to defend Joe Franco, an unscrupulous murderer who deserved to die. I do not share that opinion, Joe Franco is the best salesperson of exclusive women´s beauty products that ever existed, and the fact that he cut his girlfriend throat does not detract from his merits. Nor is it true that it was a crime of passion, Franco was a seller… How can they not get that? A staunch professional, a clean, an empty, almost lifeless human being. His mind was a perfect design for efficiency and control where anger or happiness would never be allowed under any circumstances. He killed her due to a healthy impulse for aesthetic correction. They had not even met each other, their whole relationship until the night of the crime had been played out online, a lengthy exchange of conversations punctuated by system failures, photographs of fragmented bodies and expulsion of fluids while maintaining a safe distance through the cold screen. The press and television needed something to feed on, to fill the empty spaces between one ad and another, which is fair enough. Those who control the media are experts in sales, people like Joe Franco and those who acted like him. The following was written in the Holy Scriptures: "Sellers will dominate the world" and that is the way it is. What do they think God is? Ok, so while he didn´t reach the dizzying heights of dear Joe, he does have an unquestionable talent for sales. My apologies for going off track, I was saying that all of this media attention on the 4,653 other virtual lovers that poor Zuma Rodriguez had along with Franco´s supposed jealousy are pure rubbish. Damned sons of bitches! Joe was a salesman, figures were what he fed off. He killed Zuma because she had tricked him, he couldn't have imagined that she could have such a long nose- she had known how to prevent him seeing her profile in their video-calls and used a certain design program to correct that eyesore in the pictures she sent to Joe, the police themselves checked her files and can back this up. Joe Franco knew that this nose was going to project itself as a long stain on his impeccable career, and while technically he loved Zuma, she had broken his heart. He had been led to think she had a graceful, cute princess-like nose only to be presented with a witch´s harpoon, thus destroying his plans of making her the perfect muse for his most ambitious sales catalogue. Yes, Joe Franco was about to open his own business and Zuma was going to be its image. Damned son of a bitch!

DESTINY

I don't know if any of you has picked up on subtle irony of my story if you know what I mean when I say "nose", but don´t worry if it went over your head. I have spent a decade in this cell for a crime that I did not commit and now I'm about to regain my freedom and for the first time in my life, I am really lost. My mother is dead, my father is in a nursing home and Zuma, my beloved Zuma, lies in the paupers´ cemetery. I have won everyone here around, selling them everything I could get my hands on, filling their minds of new longings and strengthening their souls with promises of heaven. In one way or another i managed to carry on with my trade, and I know that they are going to miss me, but I am terrified that there is no space for someone like myself out in the real world, that in the spectrum of the social dynamics, I will continue to be a murderer and nobody will want to hire me and that all that rhetoric about "serving your time" has no real value. What awaits me is the desolation of illegal sales, scalping and being unhappily banished to some supermarket where I will be reduced to the role of "demonstrator". My life from here onwards will be a slow regression and my dream of selling used cars forever out of my reach. I received a few letters from my father during my time in prison and the word mistake automatically popped up in every single one of them. I can imagine that he is not the only one to think like this. Recently I wrote the following: "To love is the promise of dying in desperation". Yes, it is a slogan. It was intended to be used for cars..... I never talked to Zuma about love, our love was something pure, without measured phrases or ulterior motives. My father, Mr. Frank Franco, said that the most egregious form of misery is asking favours from a stranger. Anothergood slogan. I imagine that by now you know who I am and what I did. Damn sons of bitches!

ERRATA - Juan Manuel Roca

"A God is born.
Others die
The truth has neither come
nor gone:
only the mistake has changed".
Fernando Pessoa

Art is full of mistakes for a purpose, like the famous story in which a man lost and sunstruck by the arsonist desert sun, stumbles upon a "beautiful virgin" in an oasis and tells her, according to Mr José de la Colina and Ilán Stavans, these self-comforting words: "tell me you are not an illusion", to which she answers: "you are the illusion". And suddenly, the man disappears". The mistake is perhaps in asking for the truth from this illusion which is the man. The same happens with artists that invent truths to avenge the fact that, maybe, we are nothing more than a mistake of God.
To them, the artists, it may be best not to ask them in which moment of their lives they are governed by certainties. "For if I am mistaken, I am", says Saint Augustine, and who the hell am I to refute a saint as celebrated as Augustine of Hippo, who thought of this quote, to perhaps help me write this text about mistakes. And to make me fall into this sum of absurdities, in a text full of nonsense as deep as a well, and enjoy the justification of a man of God.

At the beginning of this erratum I wanted to dedicate the text to Christopher Columbus, the Genoese man that should be the patron saint of the mistaken, perhaps a more than legendary sailor of history, who arrived in America in 1492 thinking he had arrived somewhere else. And so, apart from the great mistake of discovering a land that had already been discovered by its own inhabitants, he made history for something he himself was unaware of. And it is thanks to this historical mistake that I am writing in this language or dialect, to perhaps state that if we have to speak, in any language or dialect, it is to point out that we do not understand each other and that we are starting to get to know each other through both sides of a telescope, thanks to his majesty, the mistake. Actually, according to Amiel, we are never as unhappy with others as when we are unhappy with ourselves. The Swiss thinker stated that "the awareness of a mistake makes us impatient". So impatient was the clever and harsh Amiel, that he fought his awareness for mistakes writing a "personal diary" of 17 thousand pages, in which he only used 42 calendars of his life. What more exorcism against the "error vacui", against the blank page that is never mistaken before we decide to add some letters. I have hunted for great thoughts of great men who whilst speaking about mistakes, believed not to make them; they believed to overcome them like a long jumper with his javelin. And, in reality, it is clear that between what the poet wanted to say, what he really said and what we thought he said, a mystery is hidden, and this for a start is a mistake about perceptions.

For example, when Nicolai Gogol wrote his formidable "dead souls", friends, acquaintances and readers went to his house to express that with this novel he had demolished the czarism and the first one to be worried and even annoyed, was himself because he considered himself a czarist. At which breaking point, in which moment did a sort of ghost lead him to a personal mistake that would later be a collective certainty? History is not interested in the fact that the truth was born from a mistake, as we would say when we think of the beautiful literary work of this Russian writer.

The case of Gogol, whose character, Chichikov, seems to have mistaken his place of birth in the czarist Russia, as he seems more like a skilled Columbian bureaucrat, leads me to unwillingly accept, beyond his theories that I find doubtful, an idea, I repeat, of this grand writer called Sigmund Freud: "Every frustrated act, every act resulting from a mistake, expresses a hidden intention". May Gogol forgive us. There is a reason for the word recognize* to be so often associated with the word mistake. A word that in Greek means to go back and is a palindrome in Spanish, a word you can read from right to left like the rabbis, the printers and mirrors,.

"Recognizing" a "mistake", is what is said joining these words, to point out something not many like to accept. It is perhaps why, artists resort to the pentimento, to paint over a painting they consider mistaken, but the beauty of the work of art on top is born from another work of art that the artist considers mistaken. There are, of course, mistakes made on purpose, like in Carroll's nonsense poetry, and also those encouraged by ideologies: "superior races", "Manifest Destiny", and it is in these last ones that the innocence of erring turns perverse, controllable and manipulated.

A struggle between the praise of the imagination and the obtuse rationality of the realist can be created with a story like the one that follows. I believe to have seen it in a film, but so as to not make any mistakes; I will say it was in a dream: There is a hospital unit with many beds and patients. Only one of the patients has access to a window with views of the street. The man slides it half open and tells what is happening outside the hospital: a young redheaded woman crosses the road with a blue umbrella, two children kick a ball through the puddles, a very small nun like one in a Fellini film feeds the pigeons in the park, a couple kiss at the entrance of a café, an old postman stands before the bell…

One night the patient who tells these events to his companions of misfortune passes away and, of course, everyone wants to inherit his bed with views of the street. When the man to whom the bed is assigned, half opens the window, he discovers that there is only a brick wall that prevents anyone from seeing the scenery. I think there is nothing more close to a poet than the character of this story, it is someone able to make up, and nurture a mistake brought about by his condition of prisoner in the world, a condition that an unsatisfied man always denies. After a story like this one, the realist who hates anything that is not tangible, he who does not believe that if life makes mistakes it is because any mistake can provide new possibilities to create, will look with contempt at what is not provable and he will then call on the priest and the barber of Don Quixote so that we do not keep on mistaking windmills for giants nor flocks of sheep for an army of soldiers, as if in that visual mistake, the concept of armies of the world being bundles of obtuse and obedient people would not intercede. "No other means to prosper are faster than other people's mistakes", said Francis Bacon enigmatically, as he made his fortune as a lawyer, a job specialized in looking for the mistake in the other person.

I prefer the sentence of Albert Camus, of humanistic stamp, that states that "making someone suffer is the only way to make mistakes" and in another place in his reflections he states that the need to be right is the sign of a vulgar spirit. It would be worthwhile to add that mistake hunters always make me feel the personal uneasiness of one who risks making mistakes so as to explore new worlds and new hypothesis of them. I find it very pleasant to encounter an original mistake because most of the mistakes are very old and are almost always catalogued in the chapter of certainties. For example: that man is a superior being, created in the image and likeness of God. The assumption that we are similar to the creator does not speak very highly of him. Here is a mistake caused by religion and as old and fixed as the sun.

Let us continue to speculate, creating deformed mirrors of the truth, as this is supposed to happen in any errata. The fear of making mistakes paralyzes you. He who does not make mistakes is dead. As there is no adventure without the possibility of a mistake. The tightrope walker, who walks on a tight rope and looks down at the abysm, is the one that does not fear making mistakes because he already dedicates his life, like a philosopher, to a job of mistakes. He gets to the greater truth through the ways of doubt. The mistake is the strange flower in the garden, the one that grows without anyone's encouragement.

However, despite all this, there is nothing more sad and pathetic, and we can see it every now and then in big forums and conferences, than two mistakes that refute each other with passion, than two absurdities that attack each other with brutal fervour while the truth, unaffected, remains silent. It might be this to which the sharp duke of Rochefoucauld referred, as he wrote with vitriol and with no fear of erring: "The arguments would not last very long if the mistake was only on one side".

It is enough for me, as I made the mistake of accepting to write about this subject, to scribble an attempt of a poem:

THE STREET OF THE MISTAKE

Between the street of certainties
And the avenue of pride
I preferred to cross
The path of the mistake
There I found old
Unknown friends
I found the man
That thought it possible
To invent a mirror of ice
For the girls in the desert
The one who wanted to walk
Along three river banks
The one who thought of making
A coin with three faces
The one who believed his name indelible
Written in the water
The man who wanted
To leave his body at home
To go for a walk
Without its bothering presence
I preferred the little street
Of the mistaken
To the lounge of the certainties
I chased the confusing
Words of one
Who painted a tunnel in a wall
Of prison
To help his friends escape
The one who made mistakes calculating
Whist building
A bicycle of wind,
The failed artist that wanted
To taste with wine

The bread painted in the cupboard
Between the street of certainties
And the avenue of pride
I preferred to cross
Through the path of the mistake
There I found, still nervous,
The one who wanted to hide
A man about to be executed in a poem
The one who never knows what to answer
When someone asks "who is there"
The thief of impossibles,
The one who wanted to be his own rider
And went galloping in his madness,
The one who wanted to colour the vowels
And kiss the distance,
The blind one that did not declare
At customs the landscapes
He had in his touch
And only wanted to write a book
Made of smells and tastes,
The one who never hit the target with his bow
And is never spot on about the truth
Between the street of certainties
And the avenue of pride,
I preferred to cross
Through the path of the mistake
There I found old friends
That only read in books
The grace note of the errata.
In all those,
There is more truth
Than in the proven facts
Of our stupid history.

THINGS TO DO - Mateo López

I arrive at the studio, prepare and pour myself a coffee. I walk around its inside while sipping my coffee, looking at the plants, changing a seat from here to there. I start to wander again, stopping to look at something when a thought pops into my mind. I look for something to write it down with. My gaze moves to the cup to take another sip but it is not there, now where did I leave it? Over there, on the table. I move over to get it, and continue walking, consumed by procrastination. I have a vision of this space as a constellation. The body travelling about, making an outline, joining dots. Instinctively, I write on a piece of paper, Mille of string by Marcel Duchamp.
Inside, the furniture and the tools are talking with the parts half-way, trials and errors that recount the life inside the studio. I pick a book that is lying on top of the desk, opening a page at random, sit down and give it a once-over. I get up, walk over to the shelf, picking up an object that has been tossed aside there for several days, opening a box that feels light and placing it inside. Without giving it much thought, I write the word Box on another card and write again, Box among box...
I return to the desk, and sit down. I stretch out my right arm and do the stretches that they recommended in physiotherapy, and in the midst of that mild pain, I imagine writing with my left hand.

I write my signature with my left hand on another card. And something is going around in my head telling me to draw in a way that is unknown to me. I tap the computer with my fingers and the screen comes on and I read the messages that have arrived. I go to take another sip of coffee and find that it is already cold, showing how long this coffee has gone. I get up to get a folder containing unfinished drawings, and I come across one drawing that suggests another one to be done. And so I write down this task.

These repetitive actions talking place within my studio give me vague ideas, things that I have to get done. The non-productive lists are often the longest . Most of the times are measured in centimetres, the title of a piece that never came to light, grocery shopping, an address or the name of an artist that evokes a specific image. Even lists of lists of things to do. Even if some of these tasks do not actually lead to anything in themselves, the process of doing, trial and error, have generated random possibilities that have moved me away from the obvious.

HOTEL "EL SALTO" - Bernardo Ortiz

1.
I have a hard time remembering a certain passage from the novel Flaubert´s parrot by Julian Barnes. I don't have the book at hand, although I have to confess that I prefer this dubious recollection. I´d hazard a guess that over time I have been embellishing things that are not actually written there at all. I remember that Flaubert entered Egypt flanked by Napoleon's troops. He climbed one of the pyramids and when he got to the top, he sat down, exhausted, to eat an orange. While he was eating the orange, he thought in the amount of work put into the construction of the pyramid on top of which he was perched (an adept figure adept on top of a large triangle). He thought of the huge rocks that had to be dragged all the way to that site. He thought of the weight of the stones that formed the base of the pyramid. He thought of the absurdity of the company. A pyramid is a structure that does not hold anything. A fat writer eating an orange, for example. Flaubert went underneath the pyramid, leaving a mound of orange skin on the tip.

2.
Another scene from a novel. This time from The unknown masterpiece by Balzac. When Frenhoffer sees Porbus´s Mary of Egypt, he ponders what the painting is missing. "Nothing," is what he answered himself. "Ah, but that nothing is everything", he added. He snatched the brushes from Porbus and used them to finish the painting. In this case, finishing it means adding a brush stroke here, another one there. Just a few dashes. And to the surprise of all present, these mere strokes reveal what cannot be painted: air; space. This "Je ne sais quoi qui affriande les artistes," as uttered by Balzac with irony. As if the painter Porbus was unclear; immersed in the fog of the painting; that pasty substance that makes it a Painting (lowercase, uppercase). Frenhoffer´s finishing touches make the paint invisible. The dashes of white that transform a spot of blue paint into the satin dress of Velásquez´s Infanta Margarita. Thinking about the mound of orange peel that Flaubert leaves at the tip of the pyramid.

3. (I digress)
Porbus's painting is not made from paint. It is in fact (!) composed of 2,436 words - including Frenhoffer´s final brush strokes. It takes up six pages of Balzac´s novel, depending on the edition (and the font, the page size, the typesetting box, line spacing, etc. used to reproduce it). Above all, it takes time to be read.

4. (I digress once again)
What does this phrase, "read a painting" mean? Why use reading as an image that metaphorically describes how someone approaches a painting? Over time, this metaphor has become ingrained both in the way that people talk about an image (or even of art in general), that it is not uncommon to hear someone say "this piece is not saying anything to me." As if the painting (or a work of art) should speak, respond, mean something.

5.
A short-sighted student looks at images of paintings reproduced in art books. There is a point where, after so much time approaching the images, the brush strokes are taken over by pure information - because the photomechanical line that gives the illusion of paint is basically this: information. Frenhoffer´s nimble brush strokes turn into four-coloured dots... cyan, magenta, yellow or black. This unclear surface that forced Frenhoffer to wrestle the brushes from Porbus, reappears as a veil on top of which the distant memory of a painting is projected -even if it is seen for the first time. Thinking about what constitutes the image of a painting.

6.
A conversation with A about his drawings. He describes everyday scenes in writing. The corner of a Berlin post office, for example. Someone´s leg intersecting a table leg. A woman who has fallen asleep on the subway. A has developed a kind of shorthand that allows him to fix even the tiniest detail in each scene. Back in his apartment, A uses these descriptions to rebuild the scenes with his hand. I suspect that he uses a 0.1 technical pen to create constellations of dots that make up the image. When these drawings are reproduced in their actual size (10 x 15 cms.), the dots that make up the image (of the sleeping woman on the subway, for example) are almost the same size as the photomechanical line dots. Both systems collide on the surface of the image.

7.
The modernist reflection on the dimensional surface hastily archived as a purely formal company. At the same time, the fact that the world today is becoming increasingly bi-dimensional, appears to be a suppressed fact. Thinking about the ubiquity of the screens and flat surfaces. Everything is flat. Everything is plain. And everything seems to be transparent. The interfaces of the computer operating systems, touch screens are trying to eliminate a certain coarseness in the way that they manipulate the objects. Thinking about the consequences of this illusion. Thinking about how useless modern anti-illusionism is.
8. (Inept metaphor)
Imagining a acetate disk that contains recorded oral descriptions of the abstract -monochrome paintings . Here it is brought to life. The rough and inscrutable surface of the disk stubbornly rotates trying to reproduce another rough and inscrutable surface. Both systems collide on the surface of the image.
9.
I must stress that I am short-sighted.
10.
*I must stress that manually re-producing the image allows the mechanisms that are at stake to be understood. It is a bodily approach to the point where the image collides with the surface that makes it visible. (The photomechanical line, the pixel screen, the furrows of the disk - to name a few). ***
* Wittgenstein: The Big Typescript, 173e: Thinking a process in the brain and the nervous system; in the mind; in the mouth and larynx; on paper. Remarkably, one of the most dangerous ideas is that we think with or in our heads. The idea of thinking as a process in the head, in that completely closed-up space, endows it with an occult quality. Thinking is not to be compared to an activity or a mechanism that we see from the outside, but in whose workings we have yet to penetrate.
11.
Why not include the concept of "resolution"? "Resolution" in the sense of measuring the density of information. A kind of metaphorical hacking. The same image in different resolutions can have multiple "contents", for example. This can be useful for preventing the dichotomy of form and content that remains endemic in literature about images. The same image in different "resolutions" can provide different sets of relationships between its component parts.
11.1.
This is a letter sent in 1953 to the editors of the Colombian magazine for the study of modern times. Little is known about the author or even about the project that was been undertaken at the time (an inventory of the material culture in Columbia* What is interesting is the response that a "low resolution" image of a painting by Malevich can arouse.
* There are such a wide range of matters contained in this letter that they cannot be covered in these notes. It is both quite funny, and tragic, that this inventory is lost.
13.
A scene: A washing machine during the rinse cycle (- Chugg - Chugg - Chugg - Chugg - Chugg - Chugg- Chugg, etc). Chords from a piece of music by Schumann.
14.
01 Sep. 98. Painting as an accumulation of decisions. Thinking about Flaubert in the pyramid.
15.
Recollecting all the reproductions of the Inserções em circuitos ideológicos (Insertions into Ideological Circuits) by Cildo Meireles. What are these images reproducing? Three bottles of Coca-Cola? And what about the mechanism that is at stake there? Can it be reproduced? At what "resolution" are all of these images operating? And by the way, is it possible to speak of "rasterised" or "vectorised" images?
16.
Example a (Smithsonian Institute, 1974): "As the Soviet geologists began to learn more about the Likoff family, they realised that they had underestimated their intelligence and skills. Each member of the family had a certain personality; the old Charles revelled in the devices that the scientists brought from their camp, and even when continuing to believe with all his might that it was impossible for the man to have set foot on the moon, he quickly adapted to the idea of the satellites. The Likoffs had seen it since 1950, "when certain stars began to quickly move through the sky," and Charles thought up a theory to explain it: "People thought up the way of launching fireworks that are like the stars."
But what surprised him most were cellophane bags. "By God, they invented glass that you can crumple." And Charles clung to his status as a patriarch, even though he was more than eighty years old."
17.
15.Aug.13:
A. I must hang a few drawings in a gallery. They rest on the floor before being hung up. The empty feeling that is absurd.
B. Journey to the gallery. The discomfort of certain expressions such as "my job", "work". The involve a desire to bring certain ideas to life.
C. I arrive at the gallery and a spell is broken. Papers thrown on the floor. On the verge of being nothing.
D. While walking down Carrera 7 [was main street in Bogart, Columbia], I remember an article written by an Italian theologian in 1957. It was lamenting the fact that theological arguments had disappeared from discussion on images. It

considered that the fact that "today it was so easy to produce and reproduce images that this has driven away the marvel felt in terms of the illusion of image". "We are on our way to a secular cynicism regards the miracle of the image". In a footnote, he complains about the emergence of smiles in the pictures. "Very shortly, the only images will be of smiling faces". At the end of the article, the theologian argues for a new rough "pictorial technology" that covers the images, which makes them awkward, thus paving the way for the "miracle".
18.
16.Aug.13: http://www.flickr.com/groups/3d-print-failures
Images of 3d printing errors. A story could start off like this: "If the promise is kept, the 3d impression will revolutionise the production of objects - as radical a change as the industrial revolution. But that has already been widely discussed. Maybe I am only thinking of a footnote to this story, I wonder what will become of the continued use of the dimensional print processes as a metaphor for the new three dimensional processes. What's interesting when looking at the errors is the sudden reappearance of a certain coarseness (stubbornness) from the matter. A certain "low resolution". The image where a rectangular and exact piece is cut off by a tangle of wires.
19.
20.Aug.13
Looking at a surface also involves walking. Going up and pulling back again and again.

LEO FINES. ABSURD CHARACTER - Daniel Salamanca

Imagine you are in an unknown place and a long ago era. You do not know if it is the future or the past, but it surely is your present. You continue being a human being and you continue belonging to a world which in turn is part of a vast universe. Although it seems quite different, in fact it has all remained the same. The error: claim to establish boundaries between people, entrust the controls of the game to a single person and imagine that things can change.
This picture has precisely to do with the construction of a fictional character, a multidisciplinary artist (not to mention the ability to juggle more than ten professions), to which the monumental task was given of redesigning the world, with existing land borders. An impossible task which, in my view, calls into question the excessive human ambition to transcend, to find an absolute truth and to deposit in others their own inability to do things well. Again, here is the error with which they are debating in this outline, this inventory of lines and this absurd tale. It's about how fiction is not very far from our reality.

HONEY AND ANTS - Daniel Santiago Salguero

A few months ago I was working with honey. While I was photographing and recording it a drop fell on the kitchen table. Ants came right away and remained around the drop for quite a while. Some of them jumped into the honey, overwhelmed with thrill and died buried in it. I like to imagine the feeling that the ants must have had tasting that small amount of honey, for us insignificant. I suppose it's a good metaphor for those situations in life, for example, accidents, that, at another level or from another perspective, can trigger something positive, or at least a sweet effect.

Sobre el ERROR
About the

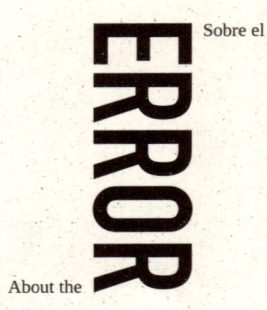

LA FABRICA

TALES on
THOUGHTS OF EXCELLENCE AND ALTERNATIVE PRACTICES

bristot
espresso italiano dal 1919

Printed on Crush ecological papers by Favini, made using process residues from organic products to replace up to 15% of virgin pulp: cover Crush Coffee 250 gsm, text Crush Corn 120 g/m².

Stampato su Crush, carte ecologiche di Favini realizzate con sottoprodotti di lavorazioni agro-industriali che sostituiscono fino al 15% della cellulosa proveniente da albero: copertina Crush Caffè 250 g/m², interno Crush Mais 120 g/m².

Impreso sobre papel ecológico Crush de Favini, realizado a partir de residuos orgánicos que sustituyen hasta el 15% de la celulosa procedente de los árboles. La cubierta se ha impreso sobre Crush Caffè de 250 g/m² y el interior sobre Crush Mais de 120 g/m².

www.favini.com

How paper is made? Find out how we produce the ecological paper Crush.